Francisco Asensio Cerve

PINTURA
AL PASTEL

para principiantes

Vincenç Badalona Ballestar (ilustraciones)
Enric Berenguer (fotografía)

KÖNEMANN

Dirección editorial, textos, diseño y maquetación: Arco Editorial, S.A.

Pintura al pastel para principiantes, Francisco Asensio Cerver

© 2005 de la edición en castellano: Tandem Verlag GmbH
KÖNEMANN is a trademark and an imprint of Tandem Verlag GmbH

Diseño de la portada: Peter Feierabend, Claudio Martinez

Printed in Slovenia

ISBN 3-8331-1728-1

10 9 8 7 6 5 4 3 2 1
X IX VIII VII VI V IV III II I

SUMARIO

Materiales

El pastel es un medio pictórico que se remonta al siglo XVIII, aunque muchos pintores anteriores ya habían utilizado procedimientos similares como material de dibujo. La aceptación por parte de los pintores de este medio hizo que un gran número de artistas lo adoptaran como un procedimiento que llegó a competir incluso con el óleo. Grandes artistas que han adoptado habitualmente el pastel en sus obras fueron Rosalba Carriera, Degas, Manet, Odilon Redon y Picasso, entre muchos otros.

El pastel es un medio pictórico que se puede tratar como cualquier otro procedimiento habitual de dibujo; de hecho, las primeras prácticas que se van a desarrollar en este libro son muy similares a las del dibujo y a las posibilidades del pastel dentro de dicha técnica. Para comenzar a pintar será suficiente con uno o dos pasteles y un bloc de dibujo, que se pueden adquirir en cualquier tienda de bellas artes.

▲

Según la intención del artista, el pastel puede partir de una consideración absolutamente dibujística o como un completo medio pictórico. En estas primeras páginas se va a mostrar una extensa gama de productos, unos totalmente necesarios para poder desarrollar la técnica, y otros complementarios con los que el trabajo se desarrolla. No es preciso que el aficionado adquiera todos los materiales que aquí se relacionan; lo importante es que los conozca y pueda decidir qué útiles y presentaciones son las más adecuadas en cada caso.

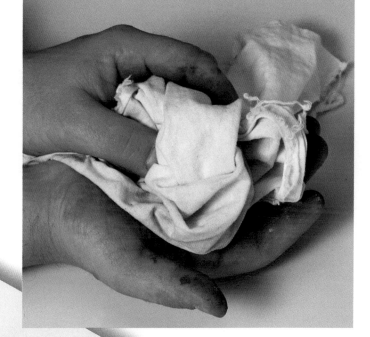

▼

El aficionado pronto se dará cuenta de que el pastel es un medio completamente inestable. Este procedimiento permite que el trazo se pueda emborronar sobre el papel con los dedos. Los colores también se pueden ensuciar con la misma facilidad. Por ello desde el primer momento hay que tener a mano algún trapo con el que poderse limpiar los dedos.

Materiales

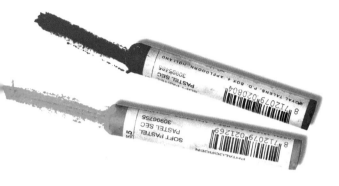

EL PASTEL

El pastel está compuesto por pigmento de color, yeso o creta blanca, empastados con goma arábiga. Con estos tres productos se forma una amalgama que después se modela y se deja secar. Su composición es, pues, una de las más sencillas de todo el conjunto de procedimientos pictóricos. A pesar de ello, el aficionado puede encontrar en el mercado pasteles de calidades muy variadas.

▶ *Un buen pastel se deshace y se parte fácilmente y presenta un color luminoso y brillante. Por ello es importante saber elegir una buena calidad de pasteles a la hora de iniciarse en dicha técnica.*

▶ *Los pasteles al óleo son más densos y untuosos que los normales, y permiten todas las aplicaciones del medio, si bien su difuminado no es tan uniforme. Se fabrican con aceite en vez de goma, por lo que se pueden mezclar con pinturas al óleo y lograr con ellos diversos efectos cuando su trazo se diluye con esencia de trementina.*

▼ *Las cretas de colores no son más que pasteles duros, pero tienen una gama muy restringida. Los pasteles duros permiten un trazo más definido, aunque no son tan versátiles como los blandos. El difuminado del pastel duro es más restringido que el que permiten los blandos; sin embargo, resulta ideal para perfilar y realizar detalles.*

◀

Aquí se muestra cómo se mezcla el pastel al óleo con aceite de linaza o con óleo.

LAS GAMAS DE COLOR

Los pasteles contienen un componente neutro que permite que la barra adquiera cierta dureza. Dicho elemento es la creta, el blanco de España o incluso el yeso. Originalmente, aunque se trata de elementos completamente blancos, no tienen las cualidades del pigmento; es decir, no pintan, si bien, como se verá a lo largo de los diferentes temas, pueden llegar a estropear las cualidades luminosas del pigmento si se intentan mezclar los colores entre sí. Para evitar los efectos negativos de las mezclas, los pasteles se fabrican en gamas tan extensas que existe una gran variedad de tonos para cada color.

La pureza del colorido se estropea cuando los pasteles se mezclan, pues el componente de creta que aporta estabilidad a la barra se pone de manifiesto y resta luminosidad y frescura a este medio. Esta imagen ilustra cuanto estamos comentando.

Las gamas son tan extensas que cada artista puede procurarse una paleta perfectamente ajustada a sus preferencias. Para empezar, se puede partir de un estuche sencillo, como el que figura bajo estas líneas.

Se pueden adquirir en el mercado gamas especialmente indicadas para temas concretos, como el retrato.

7

OTRAS PRESENTACIONES

Existen muchas presentaciones de este medio pictórico. Algunos artistas optan por una elección muy personalizada de los colores, por lo que las tiendas de bellas artes exhiben expositores con gamas muy extensas. Otros pintores, en cambio, se amoldan perfectamente a las gamas más convencionales.

No todos los tipos de pastel se expenden en gamas extensas y envasadas; algunos pasteles de gran calibre, o gruesos, tienen gamas muy limitadas. Además del pastel en barra, hay que destacar también los lápices-pastel, con las mismas características que los pasteles en barra, si bien pueden ser utilizados como lápices normales.

▼ **Pasteles gruesos.** *Esta presentación no es la más habitual. Su calibre sobrepasa el diámetro más usual. Suelen estar fabricados con materiales de alta calidad, en gamas muy limitadas; su precio también es proporcional a su masa. Estos pasteles son utilizados por profesionales que prefieren los grandes formatos y el trabajo gestual.*

Colores especiales.
Actualmente se fabrican pasteles de todos los colores, incluso gamas fluorescentes, doradas y plateadas. Estos pasteles, a diferencia de otros medios pictóricos tienen unos colores frescos y una gran luminosidad.

▶ **Lápices-pastel.** *En estuche o sueltos, con gamas tan extensas como las que se pueden encontrar entre los pasteles normales. Si los pasteles normales ya son frágiles, estos lápices lo son todavía mucho más, y cualquier golpe puede fracturar su mina. Por ello es muy importante utilizar lápices de calidad, tanto en la barra interior como en la madera que la rodea. A la hora de hacer punta, una mala madera romperá también la mina.*

LA LIMPIEZA

Cuando el aficionado comienza a pintar, lo primero que observa es que los pasteles se rompen con gran facilidad; las barritas que se acaban de extraer del estuche donde estaban perfectamente ordenadas, se convierten en un sinfín de trozos sueltos que se ensucian muy fácilmente al mezclarse unos con otros. En la técnica del pastel, la limpieza de los pasteles, como de las manos, resulta fundamental.

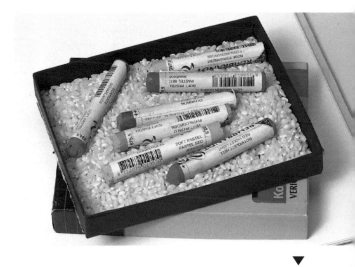

Los pasteles son colores de una gran pureza, pero, el contacto entre ellos, hace que se ensucien con gran facilidad. Ello hace necesario que antes de utilizarlos se limpien para evitar que se contaminen los colores sobre el papel. Cuando se tiene que transportar un número pequeño de pasteles, lo mejor es hacerlo dentro de una caja con granos de arroz; el roce del arroz con los pasteles, hace que se mantengan limpios.

▶ Una caja como ésta es una buena opción para guardar los pasteles, cuando éstos se adquieren sueltos. La caja deberá tener pequeños compartimentos para poder agrupar los colores por gamas y evitar así que éstos se muevan excesivamente y sus colores se contaminen por el contacto.

Una base esponjosa acanalada para guardar las barras de pastel en el estuche es una de las mejores soluciones para preservar la limpieza de los pasteles. Por este motivo, tanto las barras como sus fragmentos, siempre estarán mejor protegidos dentro de esta almohadilla que sueltos en la caja. Además de tener a la vista todos los colores, éstos no se ensuciarán entre sí.

Materiales

FABRICACIÓN DE UN PASTEL

▶ **1.** *Para manufacturar una barra de pastel, son necesarios los siguientes útiles e ingredientes: espátula para amasar la pasta (1), espátula para remover el color en el recipiente (2), recipiente donde realizar la elaboración (3), el pigmento con el cual se quiere obtener el color (4), creta precipitada (5), goma arábiga (6), agua (7) y una superficie lisa (mármol, cristal o una paleta grande de pintor) (8).*

Este punto es interesante para comprender cuál será la calidad idónea de una barra de pastel. Como en cualquier procedimiento pictórico, es importante que el artista conozca bien cómo se elabora el medio que está utilizando, e incluso que él mismo esté en condiciones de poder fabricar sus propias pinturas, si así lo desea. En general, la elaboración de las pinturas no suele ser una tarea difícil, pero sí que resulta laboriosa y, si no se tiene una cierta experiencia en ella, no siempre genera los resultados que serían de desear.

▶ **2.** *En el recipiente se elabora el medio que va a servir para aglutinar el pigmento. Este medio está compuesto por agua y goma arábiga. La proporción aproximada consiste en unas gotas de goma arábiga por cada cucharada sopera de agua; aunque no todos los colores requieren la misma proporción. Se tiene que batir lo suficiente como para que la goma y el agua formen una mezcla homogénea.*

> Puede seguir el mismo procedimiento que aquí se explica, si se utilizan restos de pasteles; es decir, fragmentos que ya no se pueden utilizar. Habrá que pulverizarlos en un mortero sin añadir creta precipitada, y mezclar el polvo resultante en una solución de una cucharada sopera de agua y dos gotas de goma arábiga.

▶ **3.** *Se mezcla la creta precipitada con la solución anterior; si la masa está seca, se tiene que añadir algo más de agua hasta conseguir una masa suave. Se amasa el color añadiendo el pigmento a la mezcla anterior. La pureza del pastel dependerá de la cantidad de color que se añada a la masa. Si se añade creta precipitada en cantidad excesiva, la barra de pastel será bastante quebradiza. Una vez que se ha modelado la forma de la barra, ésta se coloca sobre un papel, se deja secar durante unos días y la barra ya estará lista para ser utilizada.*

SOPORTES VARIOS PARA PINTAR CON PASTEL

Por lo general, con pasteles se pinta sobre papel. Esto es más una costumbre que una imposición técnica, ya que, en realidad, este medio puede utilizarse con cualquier material. Aunque la mayoría de los ejercicios que se proponen en este libro escogen el papel como material sobre el que pintar, no estará de más considerar otros soportes sobre los que también se pueden obtener atractivos resultados, con una fiabilidad idéntica a la del soporte tradicional.

Pintar sobre cartón. El cartón es económico, y hasta gratuito, cuando procede de embalajes. Cualquier aficionado habrá tirado en más de una ocasión cajas de cartón de diversos tipos, ondulado, cartoncillo, compuesto, cartón pluma, etc. La superficie del cartón es muy porosa y absorbente, por lo que el pastel se adhiere a ella a la perfección. Además, el grosor y el color de ciertos cartones pueden aportar a este soporte un gran atractivo sobre el que los colores luminosos del pastel destacan por su pureza.

▼ *Pintar sobre madera y cartón entelado. La madera, sobre todo el táblex, presenta una superficie idónea para pintar sobre ella con pastel. La ventaja de este soporte es la rigidez de su superficie y la textura tan peculiar que ésta presenta. Otro de los soportes rígidos que mejor se adaptan a la pintura al pastel es el cartón entelado. Éste se adquiere en los comercios de bellas artes y se presenta en una gran variedad de medidas.*

▼ *Telas preparadas. Las tiendas de bellas artes ofrecen un notable muestrario de telas preparadas ya para pintar, que se venden por centímetros o montadas sobre bastidor. Para pintar al pastel es más conveniente adquirir la tela suelta y utilizarla como si se tratara de un papel. Para pintar sobre tela o sobre papel es necesario disponer de un tablero y de chinchetas, pinzas o cinta adhesiva.*

EL PAPEL COMO SOPORTE

Al ser el pastel un medio opaco y seco, permite, como ya hemos visto, una gran variedad de soportes para pintar, pero, sin duda, el que mayor número de ventajas tiene es el papel. El papel como soporte para el pastel puede ser de cualquier tipo, si bien los más recomendables son los fabricados especialmente para tal fin, ya que están dotados de cualidades adecuadas para ensalzar la belleza del trazo y los efectos del color.

▼ **Papeles de colores.** *Son los papeles más utilizados para pintar al pastel. Los fabricantes más afamados ofrecen una gran variedad de papeles que abarcan todas las gamas cromáticas. Para comenzar, se pueden comprar algunos papeles de colores tierra y tabaco; más adelante, cuando ya se domine un poco más la técnica, se podrán adquirir colores más comprometidos. El color del papel tiene una importancia fundamental en el desarrollo del cuadro ya que se integra en él y, como un color más, pasa a formar parte de la gama de colores que se utiliza en la realización del trabajo.*

▼

Papel de acuarela. *También es apto para pintar al pastel ya que tiene un grado de absorción muy adecuado para dicha técnica. Existen muchos tipos de papeles de acuarela; los más recomendables son aquellos que tienen cierto cuerpo o gramaje.*

▼ **Papel de dibujo.** *Un bloc de papel de dibujo es un buen complemento para realizar pruebas de color y apuntes.*

Papeles artesanales. *Su textura es irregular, por lo que el trabajo desarrollado sobre ellos adquiere una característica particular. En principio no son los papeles más adecuados para el principiante, aunque no está de más que de vez en cuando se realice alguna pintura sobre este tipo de papeles. Como se puede apreciar en la foto, las formas de estos papeles pueden ser caprichosas y ocurrentes.*

EL GRANO DEL PAPEL

En una pintura tan directa como el pastel, las características del soporte son fundamentales en el desarrollo de la pintura y, por supuesto, en su resultado final. El papel, además de su color, se conoce por la textura de su superficie. Esta textura se establece durante el proceso de fabricación, cuando el papel se encuentra todavía en forma de pasta blanda. Si el papel se prensa sobre un tamiz muy marcado, ésta será la textura que adopte. La textura del papel se conoce también como grano.

▼ En el papel artesanal el grano adquiere una importancia especial cuando se le explota de manera adecuada. El pastel puede aplicarse en forma de empastes y permite lograr un sinfín de efectos en los cuales uno puede jugar con el grano.

Además de los papeles artesanales, también se pueden adquirir papeles de grano grueso, mucho más económicos que los primeros. Las texturas del trazo no serán tan delicadas, aunque, como se podrá estudiar en el tema correspondiente, también se pueden lograr recursos de una gran expresividad plástica.

▲

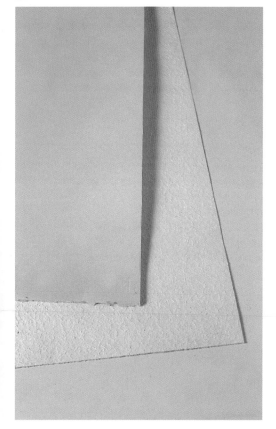

▼ Por lo general, los papeles fabricados de manera industrial para las artes plásticas tienen dos texturas diferentes, una por cada cara. La textura más lisa permite que sea el trazo del pastel el que adopte el protagonismo. Sobre esta cara, se puede dibujar perfectamente sin que se marque la trama que forma el grano (izquierda). Si se da la vuelta al papel, se podrá observar que su textura varía notablemente; en esta cara la superficie adquiere una rugosidad uniforme a través de la cual se aprecia el grano del papel (derecha). Esta superficie es la más apreciada para pintar al pastel, ya que sobre el papel no sólo actúa la barra de pastel, sino que la superficie también adquiere una importancia fundamental en el desarrollo del trazo y de la mancha.

Materiales

▶ *Pincel específico para difuminar el pastel.* Tiene el mechón redondo y con el perfil completamente recto. Presenta muchas funciones, desde el fundido de dos zonas, hasta la manipulación del color sobre el papel.

▼ *Difuminos de papel.* Son barritas de papel absorbente, enrollado hasta lograr una punta cónica firme. Su utilización puede ser muy variada. Permiten dibujar con la punta impregnada con polvo de pastel, fundir trazos y eliminar algunas zonas que no estén muy adheridas al papel.

DIFUMINOS

El pastel carece de fijación propia. Una vez que se ha aplicado sobre el papel es completamente vulnerable al tacto, de manera que el menor roce produce un deterioro sobre su superficie. Esta inestabilidad es precisamente la que permite el fundido del color sobre el papel.

Con el fundido del color es posible lograr una superficie uniforme a partir de un trazo o mancha; se elimina de este modo el rastro de la barra o la textura dejada por efecto del grano del papel. Existen muchas maneras de fundir el color; si bien hay otros medios para lograr difuminados, la herramienta generalmente más adecuada son los dedos.

▶ *Esponjillas.* Permiten un difuminado muy puntual y preciso de algunas zonas del cuadro. Consisten en pequeñas esponjas unidas a un mango de pincel a través de una virola.

▶ *Pinceles en forma* ◀ *de abanico.* Facilitan la limpieza de las zonas que se puedan haber manchado por efecto del polvillo que se desprende en el trazo. También permiten el difuminado o el fundido de los colores.

◀ Cuando se requiera polvo de pastel para difuminarlo sobre el papel sin que intervenga la barra, se pueden adquirir herramientas ya preparadas para este fin, o simplemente utilizar un trozo de papel de lija de grano fino. El papel de lija también se emplea para afilar cantos y puntas.

EL FIJADOR

El pastel, como medio seco de gran pureza cromática, presenta una mínima estabilidad al tacto; esto hace que en todo momento sea un procedimiento pictórico especialmente delicado. Como norma general, se aconseja no fijar la pintura al pastel, aunque existen fijadores en espray que, utilizados correctamente, permiten afianzar la pintura al menos en las primeras etapas del cuadro. Es importante tener en cuenta que el fijador comporta algunos inconvenientes serios sobre el pastel, por lo que, a la hora de utilizarlo, debe hacerse con precaución.

En el mercado de las bellas artes existe una gran cantidad de productos que permiten el fijado del pastel; aquí se muestran tan sólo algunos de ellos. Las principales marcas de artículos de pintura ofrecen productos de gran calidad. Es importante, cuando se adquiera cualquiera de estos propelentes, que no contengan productos nocivos para la atmósfera y el medio ambiente. Por lo general, las especificaciones técnicas figuran impresas en la etiqueta.

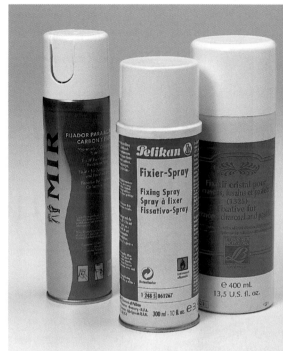

Observe la diferencia de la pintura final sin fijar y fijada. En el primer caso se aprecia una gran frescura y la espontaneidad del trazo. En la zona que se ha fijado, la pintura se ha apelmazado y empastado. Este ejemplo es una muestra evidente de los efectos de la utilización del fijador.

El fijador no se debe utilizar nunca en el acabado. Si se aplica fijador al final del cuadro, el aspecto fresco del pastel se verá arruinada por un color más oscuro y apelmazado. La aplicación del fijador se podrá realizar en cualquier momento del proceso de la pintura, siempre que se haya dado por acabada una determinada fase. Por ejemplo, se podrá fijar el dibujo inicial cuando esté perfectamente definido. Después del fijado, cualquier aplicación de un nuevo color no alterará ni se mezclará con la capa anterior fijada. La distancia de fijado debe ser por lo menos de 30 cm; basta un suave rociado para estabilizar el color sobre el papel.

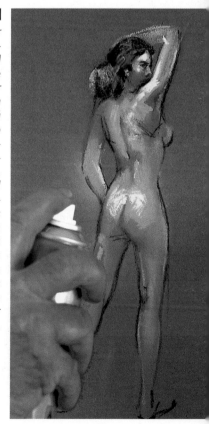

ENMARCAR Y ALMACENAR LA OBRA

omo se ha podido estudiar en los puntos anteriores, el pastel es un medio de pintura apasionante y con tantas posibilidades en su uso como cualquier otro procedimiento, aunque es especialmente frágil al tacto y a los roces. La pintura al pastel podrá perdurar una vez pintada si se enmarca y almacena adecuadamente; por el contrario, si no se tienen los cuidados pertinentes, es posible que el trabajo realizado se deteriore con facilidad y se eche a perder.

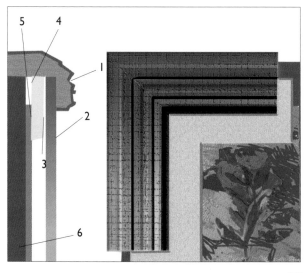

▼ *Cuando se concluya cualquier pintura al pastel, ésta siempre estará fresca, es decir, cualquier contacto con la superficie del soporte creará un deterioro en la pintura acabada. Ello no quiere decir que el pastel no pueda perdurar durante toda la vida; de hecho es uno de los procedimientos pictóricos que mejor soportan el paso del tiempo, siempre y cuando se conserve en condiciones adecuadas. Para guardar temporalmente una pintura al pastel, ésta se tiene que colocar en una carpeta, entre dos hojas de papel cebolla, o bien con un papel limpio que proteja la superficie de cada pintura. Los pasteles almacenados no deben tener movimiento a fin de evitar el roce en su superficie. Cuando las pinturas se van a guardar durante tiempo, es aconsejable poner en la carpeta alguna bolsita antihumedad, para evitar la proliferación del moho.*

En estos gráficos se indica cómo debe ser el enmarcado de una pintura al pastel. En primer lugar, el papel nunca tiene que tocar la superficie del cristal o plástico. Para evitar tal contacto, se recurre a un cartón especial grueso con el cual se formará un passe-partout. Este cartón se coloca entre el pastel y el cristal; su grosor separa el papel del cristal y su encuadre permite enmarcar perfectamente la pintura. En el comercio venden passe-partout de diferentes medidas y colores, adaptables a una gran variedad de formatos de marcos prefabricados. El pastel tiene que fijarse sobre un soporte para evitar que se mueva dentro del marco; es aconsejable utilizar algún tipo de adhesivo con ph neutro que no pueda dañar la naturaleza del papel. Marco (1), cristal (2), passe-partout (3), cámara de aire (4), pastel (5) y fondo de contrachapado (6).

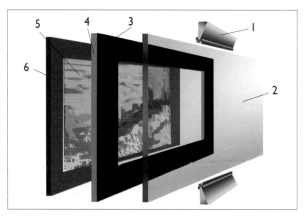

▶ *He aquí la opción más sencilla y económica para enmarcar la obra con pinzas especiales. No obstante, el passe-partout tiene que estar presente ya que es indispensable que el cristal o plástico rígido no llegue a tocar el papel. Grapas (1), cristal (2), passe-partout (3), cámara de aire (4), pastel (5) y fondo de contrachapado o dm (6).*

1

Trazos y manchas

PRIMEROS TRAZOS

E n este breve ejercicio se estudian los primeros trazos con pastel. Como se puede apreciar en las imágenes, el pastel permite dibujar o pintar en toda la extensión de su superficie y lograr con ello líneas finas o tan gruesas como permita cualquier punta, o anchura o longitud de la barra; éste es el inicio de su técnica.

El pastel es un medio pictórico que permite una amplia gama de recursos. En este tema se van a tratar las nociones más elementales de este procedimiento. Como se podrá estudiar a lo largo de este libro, la técnica del pastel se puede aprender de manera progresiva; es conveniente, no obstante, que el aficionado repase a conciencia cada una de las fases de los ejercicios propuestos, pues ello le ayudará a adquirir experiencia y a dominar este medio.

1. *Sería absurdo utilizar un lápiz o un carboncillo para realizar el encaje de una obra que va a ser pintada con pastel; la barra permite un trazo limpio y directo sobre el soporte, sin necesidad de recurrir a otro medio dibujístico. Como el pastel pinta en toda su superficie, los trazos que se pueden conseguir son similares a los que se obtienen con el carboncillo, aunque el pastel presenta una mayor densidad que aquel. La opacidad de los colores al pastel permite cubrir cualquier trazo o corrección.*

2. *Si con otros medios pictóricos la carga del color se define con la cantidad de pintura que puede aportar el mechón del pincel, con el pastel esto no es así. Con este medio sólo se puede trazar con la barra, en cualquiera de sus planos, pero no se puede extender la pintura como si de un procedimiento líquido se tratara. La pintura al pastel se realiza a partir de trazos; éstos pueden estar más juntos o más separados y ser anchos como la punta de la barra o incluso como toda su longitud o bien finos como la punta de un trapo o una pequeña arista que se esté utilizando.*

▲ 1. *Para plantear estos primeros trazos, la barra de pastel plana resulta muy versátil; los trazos que permite, como se puede apreciar, no son únicamente rectos. Con un trozo de pastel al que se le ha quitado su papel protector, se pinta plano entre los dedos; su forma facilita el trazo a lo ancho, por lo que cubre sin dificultad cada uno de los pétalos. Sin poner el cabo de pastel de punta, pero efectuando un suave giro, la mancha gruesa se convierte en un trazo más fino, pues se pinta con el canto de la barra en sentido longitudinal a su forma.*

LÍNEAS FINAS Y TRAZOS ROTOS

Los trazos que se realizan con pastel pueden ser muchos y variados; por ello, antes de que el artista empiece el trabajo, es conveniente que practique los diferentes trazos que va a realizar. A lo largo de los ejercicios que se proponen, se podrá apreciar que los trazos a menudo se emplean como simples líneas, si bien, a veces, también como manchas cortadas por un leve giro de muñeca. En este ejercicio se propone la pintura de una flor; preste atención a los trazos en cada una de sus zonas.

▼ 2. *Cuando la barra se pone de punta, el trazo se convierte en una línea de dibujo con la delicadeza que le transmite el movimiento de la muñeca y los dedos. Como se puede apreciar en esta fotografía, el tallo de la flor, así como la hoja de la derecha, se han realizado de manera muy suelta, sin un excesivo rigor en su desarrollo.*

▼ 3. *Los trazos que se logran con la barra plana se pueden regular en intensidad y presión. El granulado que presenta el trazo en su arrastre depende del papel y de su textura, pero también se condiciona en gran medida por la presión del pastel sobre el papel. Las zonas que aparecen más tupidas, lo son porque se ha presionado algo más la barra de pastel.*

DIBUJO PLANO Y DE PUNTA

A pesar de que se pueden desarrollar muchas cuestiones diferentes con la barra de pastel, las posibilidades de trazo que ésta permite se rigen por los planos que presenta: de punta, que dará lugar a un trazo lineal y gestual, o bien plano, con lo cual se pueden cubrir rápidamente zonas amplias. En este ejercicio se van a practicar diferentes posibilidades.

◀

1. Para plantear la zona correspondiente al cielo, se emplea un trozo de pastel plano entre los dedos con trazos transversales. No se ejerce demasiada presión para que el blanco del papel no se cubra por completo; sin embargo, se cubre toda la parte correspondiente al azul y se deja la zona de las nubes sin manchar; esto se llama dejar una zona en reserva, ya que es la mancha la que envuelve el blanco recortando y reservando la forma. La parte inferior se realiza también con la barra plana entre los dedos, pero esta vez el trazo es longitudinal a su forma. Este modo de dibujar y trazar permite un planteamiento muy rápido y seguro del esquema.

◀

2. Esta fase de la pintura se realiza con la barra plana y con un trazado transversal; ello ha permitido el planteamiento del paisaje. Ahora el trazo encuentra una base mucho más segura sobre la cual trabajar. Se insiste más allí donde se requiere un contraste mayor, mientras que en las zonas donde se tenga que perpetuar un tono más suave el trazo es plano, pero sin presionar fuerte sobre el papel.

> Preste atención al efecto de la superposición de capas y a cómo el trazo se puede hacer más o menos opaco.

◀

3. Con la base del paisaje completamente planteada, se pueden realizar nuevas intervenciones que permitan concluir los detalles. Como es de suponer, estos últimos trazos tienen que ser mucho más descriptivos y precisos que los anteriores, de manera que permitan el perfil fino de la montaña al fondo, o bien un árbol en el primer término.

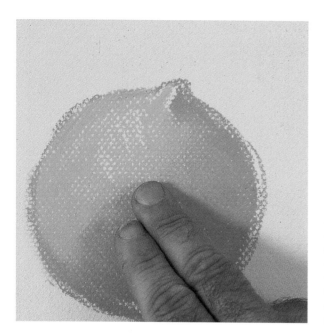

FUSIÓN DE COLORES

El tratamiento del pastel sobre el papel se puede realizar directamente con la barra y dejarlo tal cual, o bien fundiendo los colores con los dedos. Cuando se pasa la mano sobre una superficie pintada, los colores se empastan y el carácter del trazo se funde. En este apartado se aporta un nuevo paso en el tratamiento de la pintura, uno de los recursos que más se utilizarán en la técnica del pastel: la fusión entre los tonos y los colores.

▶ **1.** *El ejercicio que se propone a continuación consiste en la elaboración de una fruta. Primero, se realiza con pastel naranja un dibujo circular; éste se pinta en su interior con un color amarillo cadmio dorado. Sobre el color amarillo se pinta con naranja, dividiendo la fruta en dos zonas bien diferenciadas. Sin presionar más que lo necesario para no mezclar los colores, se acaricia con los dedos hasta cubrir toda la zona derecha con un tono uniforme. Al llegar con los dedos a la zona de unión entre los dos colores, se realiza un suave frotado hasta que se unen dichas zonas.*

▼ **2.** *Este punto es especialmente interesante ya que aquí se puede ver cómo un fundido de un color sobre otro no tiene por qué abarcar toda la superficie del mismo; basta con pasar el dedo suavemente en una de las zonas del punto de luz, dejando la parte superior de la misma sin tocar.*

▼ **3.** *El pastel permite superponer cuantas capas sean necesarias Con mucho cuidado se funden los contornos de la nueva mancha; en un lado se esparce el color con el dedo hasta cubrir casi completamente el contorno de la fruta; en la zona que rodea el área luminosa se funde toscamente para que quede marcada la huella del dedo.*

paso a paso
Bodegón

El pastel es un medio ideal para traducir en lenguaje pictórico lo que en principio pueden ser unas pocas manchas de dibujo. En este ejercicio se propone una primera intervención con pastel. No es importante que el resultado sea idéntico al que se muestra en las imágenes; esto se podrá lograr más adelante con la práctica. Si se sigue con atención cada paso, no será difícil conseguir un resultado satisfactorio.

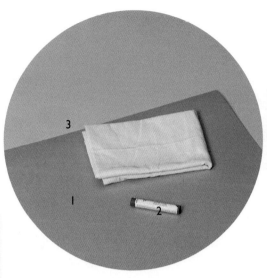

MATERIAL NECESARIO

Papel de color (1), barra de pastel (2) y trapo (3).

Cuando se pinta con pastel, como se trata de una técnica que siempre se mantiene fresca, se tienen que cuidar sobremanera los roces sobre la pintura.

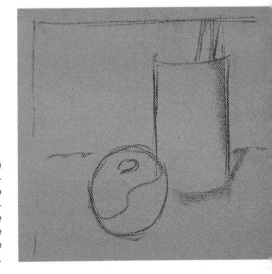

1. *El pastel puede pintar, tanto con el canto como con la punta. Ya que el resultado es diferente en cada aplicación, se trata de sacar el máximo partido a cada tipo de trazo sobre el papel. Con la barra plana y longitudinal se trazan líneas rectas con gran precisión, de este modo se dibujan los lados del vaso. Con la barra de punta, el trazo puede ser más caligráfico; con cuidado se dibuja la esfera que representa la manzana.*

2. Resulta más sencillo y muchas veces más preciso trabajar con un trozo pequeño de pastel que con una barra entera. Se parte la barra y se comienza a trazar con ella plana y transversal a su trazo; no hay que presionar en exceso para evitar tapar el grano del papel. En el bote se realiza un solo trazo vertical; en la manzana el trazo se realiza con un giro de muñeca, también con la barra plana entre los dedos.

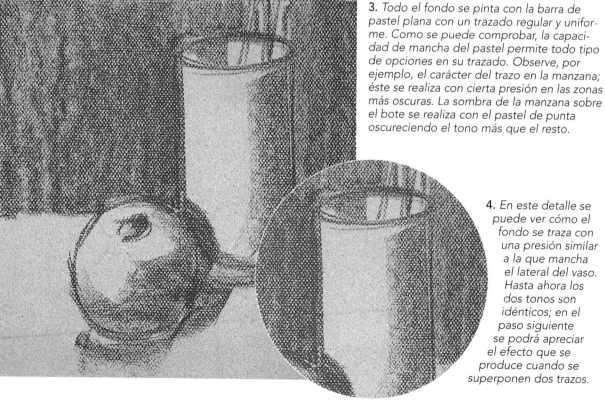

3. Todo el fondo se pinta con la barra de pastel plana con un trazado regular y uniforme. Como se puede comprobar, la capacidad de mancha del pastel permite todo tipo de opciones en su trazado. Observe, por ejemplo, el carácter del trazo en la manzana; éste se realiza con cierta presión en las zonas más oscuras. La sombra de la manzana sobre el bote se realiza con el pastel de punta oscureciendo el tono más que el resto.

4. En este detalle se puede ver cómo el fondo se traza con una presión similar a la que mancha el lateral del vaso. Hasta ahora los dos tonos son idénticos; en el paso siguiente se podrá apreciar el efecto que se produce cuando se superponen dos trazos.

5. *Una doble pasada de la barra sobre una zona ya pintada permite el oscurecimiento del tono. Esta vez, para solucionar el oscuro del vaso se utiliza un trozo de pastel pequeño. El oscuro del interior del vaso se pinta con el pastel de punta, con lo cual se puede oscurecer bastante y se permite a su vez un control muy depurado de la forma que dibuja.*

Si no se pinta con demasiada presión, el pastel se puede borrar con la goma, aunque también se puede sacudir con un trapo.

6. *Una vez que se han planteado los primeros trazos sobre el papel se pueden comenzar a pintar los máximos contrastes. En la manzana se traza esta vez con el pastel de punta; la fuerza del trazo permite acentuar oscuros más densos en la zona correspondiente a la sombra. El trazo de punta permite un gesto directo muy espontáneo. Como el pastel es un medio inestable, también se puede emborronar con el dedo.*

7. *Para concluir este ejercicio se acaba de oscurecer el fondo con nuevas pasadas de pastel con la barra plana y transversal. Al aplicar estos oscuros, se consigue contrastar por completo los tonos más luminosos que se han dejado sin pintar.*

ESQUEMA-RESUMEN

Los trazos que se realizan con la barra plana y transversal permiten cubrir gruesas líneas con una textura homogénea.

El trazo plano y longitudinal facilita la realización de rectas muy firmes.

El trazo de punta permite dibujar de manera gestual; así se ha resuelto el perfil de la manzana.

Con la superposición de trazos se puede cubrir el poro del papel.

Inicio de las formas

DIBUJAR CON
LA PINTURA

Al iniciarse en la técnica del pastel, lo primero que llama la atención es la posibilidad que brinda este medio al ser trazado sobre el papel. Por un lado, se puede dibujar como si de un lápiz se tratara; por otro, los colores se pueden superponer, tanto con el pastel de punta como plano entre los dedos.

En la técnica del pastel, la manera de coger la barra y aplicarla sobre el papel resulta muy similar a la de cualquier otro procedimiento de dibujo, aunque se trata de un procedimiento pictórico. Dadas las cualidades de este medio, su tratamiento tiene que ser fresco y espontáneo, por lo que debe evitarse a toda costa la mezcla de colores para obtener nuevos. En los comercios de bellas artes siempre se encontrará la barra de pastel con el tono exacto que uno necesite.

▼ La característica inestable del pastel permite al artista dibujar, manchar y borrar como con cualquier otro procedimiento de dibujo. Los trazos se pueden borrar con una sacudida de trapo o con la mano. Así, estructurar el dibujo inicial no es complejo, pues la técnica facilita la corrección continua. El trapo que se utilice para borrar el pastel debe ser preferiblemente de algodón y estar limpio para evitar que el papel se ensucie con otros colores.

▼ Para realizar el encaje, la barra de pastel permitirá un trazo limpio y directo, dependiendo de cómo se utilice. Como el pastel pinta en toda su superficie, los trazos que se pueden conseguir son semejantes a los desarrollados por el carboncillo, tanto si se pinta con el pastel plano, como si se hace con su punta.

Basta pasar la barra sobre la superficie del papel para trazar una línea; por este motivo no se debe apretar la barra de pastel sobre la superficie del cuadro; ello provocaría la rotura de la misma o un empaste del color, consecuencia innecesaria en las primeras intervenciones.

APROXIMACIÓN DE LAS FORMAS

En el pastel, el proceso de la pintura tiene que ser progresivo, tanto por la propia opacidad del medio pictórico, como por la posibilidad que existe de corregir en cualquier momento del proceso. En este ejercicio se puede apreciar perfectamente cuanto comentamos. Si en la página anterior se ha podido ver cómo se plantea la forma inicial y cuán fácil resulta la corrección de su encaje, en ésta se demostrará cómo, a partir de líneas apenas insinuadas, se pueden rehacer las formas con un trazo más seguro.

▶ *1. La pintura de la superficie del cuadro se realiza a partir de trazos; éstos pueden estar más juntos o más separados y ser anchos como la punta de la barra o bien como el cabo de pastel que se esté utilizando. Para cubrir rápidamente las hojas que se acaban de dibujar, se utiliza un pastel de color verde oscuro con el que se pintan todas y cada una de las hojas. En esta fase todavía se pueden apreciar los trazos.*

▶ *2. El pastel, a diferencia de otros medios pictóricos, no necesita tiempo de secado, por lo que no es necesario un tiempo de espera antes de pintar un color nuevo. En esta característica es donde el pastel muestra su gran posibilidad expresiva. Como se puede apreciar en esta secuencia, sobre un color oscuro se puede pintar con otro más claro sin que éste se transparente ni se mezcle con la capa inferior. Sobre el anterior color oscuro se pinta la zona más luminosa de cada hoja con un verde muy claro.*

▼

3. Basta pasar el dedo entre los límites de los dos colores para que ambos se unan en un trazo perfectamente fundido. No es conveniente frotar con el dedo toda la zona de un color sobre otro para que no se produzca la mezcla entre ambos; bastará hacerlo con suavidad únicamente en la línea que marca la unión entre sus masas para que se fundan los límites.

EL ESQUEMA DEL CONJUNTO

Como se ha tratado en el ejercicio anterior, para pintar con seguridad y acierto, se debe afianzar el esquema inicial. Cuando se trata de elementos muy simples que no requieren una estructura muy compleja para ser desarrollados, bastará con un dibujo previo como el efectuado en las páginas anteriores. Pero cuando el modelo tiene cierta complejidad, es necesario esquematizar el conjunto antes de plantear el dibujo previo a la pintura. Una aproximación al esquema global del modelo con líneas elemental facilitará con creces el desarrollo posterior del cuadro.

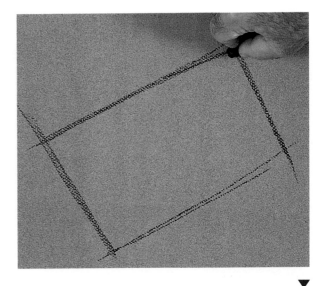

> Es aconsejable realizar el encaje de las formas con la barra de pastel plana y longitudinal al trazo.

▼ **1.** *El encuadre se realiza sobre el papel y dentro de él se desarrolla el dibujo más elemental de las formas; es decir, hay que intentar ver el modelo en conjunto como si de un único objeto se tratara. En este ejemplo se propone un sencillo bodegón representado por dos limones. Por separado sería bastante difícil representarlos con cierta fidelidad, pero si en primer lugar se esquematiza el conjunto con pocas líneas, resulta más sencilla su ubicación en el cuadro. Todavía no se han dibujado sus formas internas; solamente interesa la "caja" donde éstas se van a representar.*

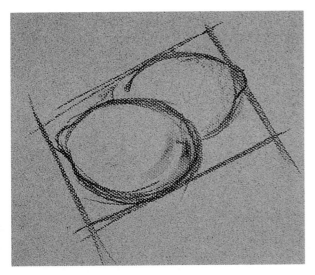

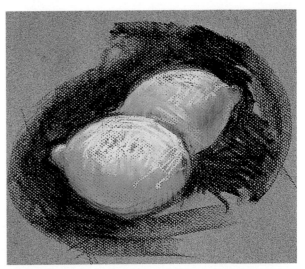

▼ **2.** *Dentro de esta figura tan sencilla se puede concretar algo más la forma básica de los limones. Al dibujarlos, se debe valorar la proporción entre éstos y el perfil del conjunto, que se tiene que adaptar al esquema que ha servido para su encaje. Como resumen de este paso y del anterior, se puede establecer el siguiente proceso: primero se realiza un encaje con líneas rectas; después la superficie de este encaje se parcela y se dibuja con mayor precisión en su interior.*

▼ **3.** *Aquí aparece ya bien definida la forma de los limones. Al inicio de este tema se pudo ver cómo el pastel puede corregirse fácilmente. En este caso no es necesario borrar las líneas que han dado lugar al encaje; se puede pintar directamente encima de ellas; el nuevo color las cubre por completo. Como se aprecia, el esquema del conjunto es muy importante para que el trabajo evolucione con soltura.*

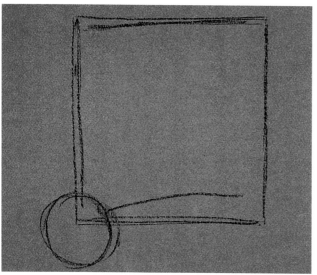

DIVISIÓN DEL ESQUEMA PRINCIPAL

Cuando el modelo es aún más complejo que el anterior en cuanto a formas, es necesario recurrir a un sistema de encaje todavía más minucioso. Lo más difícil de realizar son las formas simétricas y los objetos que se aproximen a figuras geométricas puras; de hecho, es mucho más complejo resolver un sencillo plato blanco que la más exótica de las flores o el cielo más tormentoso. Siempre que se tenga que desarrollar un objeto geométrico, será conveniente un encaje bien estructurado.

▶ 1. *Éste puede parecer un ejercicio muy sencillo, puesto que se trata de pintar una simple tetera y una flor; en realidad, es más complejo de lo que parece, ya que la tetera guarda formas muy precisas en las que cada trazo de su estructura tiene que estar perfectamente equilibrado con el conjunto; en cambio, la flor no requiere una precisión tan exhaustiva en su desarrollo. Para comenzar, hay que encajar el conjunto dentro de las formas elementales que lo componen. El esquema de la tetera se plantea con líneas muy simples con las que se forma un cuadrado; la flor sobre la mesa se puede esquematizar con un círculo, y el tallo se podrá plantear con un simple trazo.*

▶ 2. *Si bien todavía no se tienen las suficientes referencias visuales como para poder desarrollar la tetera, el esquema de la flor ya puede darse por concluido. Dentro de la forma cuadrangular que se acaba de trazar, se dibujan dos importantes líneas que serán los ejes de simetría para el dibujo definitivo. A raíz de este eje se traza la forma esférica del cuerpo de la tetera; éste sí que podría ser un esquema completo para continuar el trazado del objeto. El eje vertical permite establecer tanto el centro de la tapa, como de la base de la tetera. El eje horizontal facilita el punto de referencia para situar el surtidor.*

▶ 3. *El dibujo se completa del todo. Sin el esquema inicial estructurado en varias partes, difícilmente podría haberse desarrollado la forma de la tetera; en cambio, para solucionar la flor bastan muy pocos trazos.*

paso a paso
Bodegón

El pastel no sólo es uno de los procedimientos pictóricos más completos que existen, también es uno de los medios de pintura que más se pueden aproximar al dibujo. Es muy importante aprender a utilizar cada uno de los trazos que permite la barra de pastel. En esta propuesta se van a desarrollar dichas posibilidades con un solo color, aportando el estudio de la composición en el bodegón; en temas posteriores ya se realizarán ejercicios con todos los colores que permite este medio. Preste una especial atención a las formas simples, pues ayudan a entender y a plantear otras formas más complejas y elaboradas.

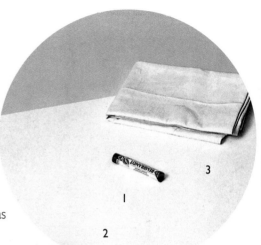

MATERIAL NECESARIO

Pastel sombra tostada (1), papel blanco (2) y trapo (3).

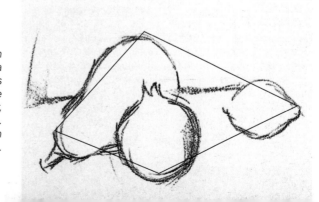

1. *El inicio de cualquier pintura se debe basar en un esquema perfectamente desarrollado y completo. Ésta será la base sobre la cual se van a desarrollar todos los trabajos con pastel. Tenga en cuenta que, detrás de cualquier pintura, por compleja que pueda parecer, se esconden formas simples y bien esquematizadas. Para realizar este primer esquema, la intervención inicial del pastel se realiza con la barra de punta.*

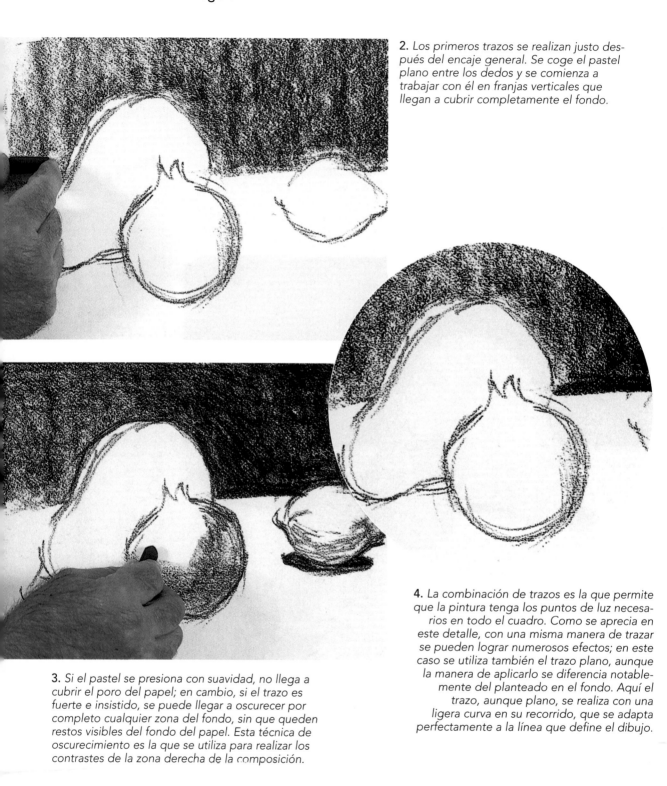

2. *Los primeros trazos se realizan justo después del encaje general. Se coge el pastel plano entre los dedos y se comienza a trabajar con él en franjas verticales que llegan a cubrir completamente el fondo.*

3. *Si el pastel se presiona con suavidad, no llega a cubrir el poro del papel; en cambio, si el trazo es fuerte e insistido, se puede llegar a oscurecer por completo cualquier zona del fondo, sin que queden restos visibles del fondo del papel. Esta técnica de oscurecimiento es la que se utiliza para realizar los contrastes de la zona derecha de la composición.*

4. *La combinación de trazos es la que permite que la pintura tenga los puntos de luz necesarios en todo el cuadro. Como se aprecia en este detalle, con una misma manera de trazar se pueden lograr numerosos efectos; en este caso se utiliza también el trazo plano, aunque la manera de aplicarlo se diferencia notablemente del planteado en el fondo. Aquí el trazo, aunque plano, se realiza con una ligera curva en su recorrido, que se adapta perfectamente a la línea que define el dibujo.*

5. *Como se ha podido constatar hasta ahora, el tratamiento del pastel plano se puede adaptar a una gran variedad de recursos, de manera que en unas zonas se puede ver el grano o poro del papel cubierto por completo por el pastel, y en otras, cómo el trazo se adapta al dibujo de la forma. Con este trazo plano se mancha también la calabaza; la presión que se ejerce es mínima, sin que se llegue a tapar el poro del papel y siguiendo la forma. Sobre este trazo se dibujan los surcos con el pastel de punta.*

Los pasteles blandos son especialmente indicados para trabajos en los que la mancha resulta imprescindible, sin embargo se desmenuzan con mucha facilidad. No se deben tirar los pequeños trozos de pastel, ya que podrán servir para pintar detalles.

6. *Cuando se quiere oscurecer una superficie previamente manchada, se interviene de nuevo con el pastel. Según cómo se plantee el trazo, así será el oscuro que se logre. En el fondo se vuelve a trazar en torno a las formas del bodegón, pero esta vez en la zona de la izquierda, donde el trazado era mucho más suave.*

6allegtor

7. *Para dar por concluido el ejercicio, sólo se requiere un último trazado en la zona inferior de la composición, que se realiza con el pastel de punta. A lo largo de este ejercicio se ha podido apreciar cómo se aplican los diferentes tipos de trazo y cómo se plantea el desarrollo de un esquema; esta misma técnica podrá ser planteada en cualquiera de los ejercicios que se propondrán a continuación.*

ESQUEMA-RESUMEN

Con el pastel plano se traza todo el fondo con trazos verticales.

La superposición de trazos permite lograr zonas oscuras; si se presiona lo suficiente, se puede cubrir por completo el poro del papel.

El trazo de punta facilita el dibujo de líneas y trazos finos de la misma manera que si se tratara de un lápiz.

Si se traza con poca presión, el grano del papel se pone de manifiesto. Las zonas donde se aprecia la textura están trazadas muy suavemente.

3 Superficies y técnica mixta

CARAS DEL PAPEL

El grano del papel es, en definitiva, lo que caracteriza la textura del mismo. En los ejercicios que se realizarán a continuación, se practicará con papeles de diferente grano. Esta primera propuesta resultará muy interesante para aprender el efecto del trazo según los distintos granos de papel.

El pastel puede pintarse sobre cualquier superficie y con diversos procedimientos. Dominar la técnica con la cual pintar y conocer la superficie sobre la cual se trabajará es absolutamente necesario para poder pintar con resultados satisfactorios. En este tema se van a estudiar diferentes aspectos sobre la técnica del pastel, desde cómo se dibuja sobre las diferentes superficies, hasta la realización de una de las técnicas mixtas más interesantes que uno se puede plantear: el pastel y el óleo.

Este otro árbol está realizado sobre un papel de grano grueso. Como se ha estudiado anteriormente, el pastel se puede pintar sobre cualquier superficie. En este caso el papel es especial para acuarela y tiene un grano muy marcado. Al pasar el pastel sobre la superficie texturada, la mancha se adapta a la rugosidad de ésta.

▼ *El papel de grano medio es probablemente uno de los más utilizados por los aficionados al pastel. Este ejercicio consiste en la realización de un sencillo árbol; en este tipo de grano es posible cualquier trazo, tanto una fina trama a través de la cual se aprecia el grano o textura del papel, como un trazo compacto que cubra totalmente el fondo.*

▶ *El papel de grano fino permite un tipo de trazo completamente homogéneo y sin textura alguna. No obstante, es conveniente no utilizar cualquier tipo de papel; los más adecuados son los que tienen una textura ligeramente estucada y algo abrasiva para el pastel. Compare el resultado de este ejercicio con los otros dos realizados en esta misma página para ver las diferencias.*

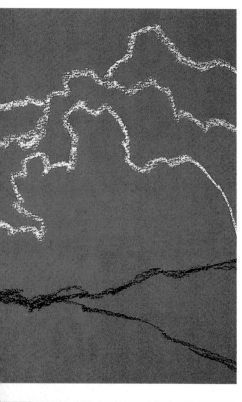

▶ **I.** *Como se ha visto en el ejercicio anterior, el papel siempre tiene una gran importancia, sobre todo en casos como éste, en el cual el grano es prácticamente inexistente. El dibujo previo siempre será fundamental, al menos para plantear las principales masas de color. Cuando se utiliza un papel de grano fino, la textura que se produce al dibujar o pintar es mínima.*

PRÁCTICA SOBRE PAPEL DE GRANO FINO

El pastel es una técnica que posibilita unos contrastes de gran espontaneidad; como no requiere tiempo de secado, el resultado se puede comprobar de inmediato. El paisaje es un tema muy agradecido pues el juego de efectos a que da lugar admite un gran número de recursos, desde el impacto directo hasta el fundido y modelado de los tonos. El grano del papel permite que la textura sea más o menos evidente. En este ejemplo se utiliza un papel de grano fino; también se puede usar el reverso de la cara texturada de un papel para pastel.

▶ **2.** *Se pinta el cielo con color azul y las nubes con blanco. Se funden los tonos con los dedos, y sobre el blanco de las nubes se pinta un nuevo tono. Esta vez el fundido es mínimo, sólo para restar presencia al trazo. En el primer término se pinta un fuerte contraste muy oscuro, con el cual se delimitan completamente los diferentes planos del cuadro.*

◀ **3.** *No conviene tratar todo el cuadro a base de difuminados; se debe alternar el trabajo fundido con la aplicación directa del color, de lo contrario, la pintura resultará muy insistente y pulida. En este tipo de papel en el que el grano apenas es visible, es interesante realizar un tratamiento alterno entre los contrastes fundidos y una aplicación directa del color.*

PRÁCTICA SOBRE VARIOS PAPELES

La superficie a pintar no tiene por qué ser blanca, por este motivo los fabricantes de papel ofrecen una extensa gama de colores. En la práctica diaria, el color del papel lo elige el artista de manera que combine bien con los colores de los pasteles que vaya a utilizar. En esta propuesta se va a realizar un sencillo ejercicio sobre tres papeles diferentes; con esta variación cromática, se podrá apreciar cómo responde el pastel sobre diferentes fondos de color.

1. Se yuxtaponen tres papeles de colores diferentes que se fijan con cinta adhesiva y que van a constituir el soporte. El paisaje a pintar se plantea con un color oscuro; un trazo limpio construye la estructura de las montañas y el primer término. Con azul se pinta el cielo. Cada uno de los colores del papel responde de manera diferente ante el color del pastel.

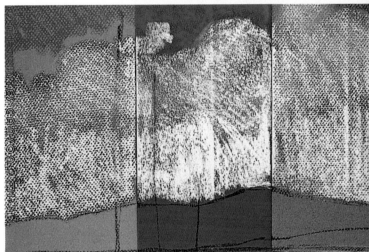

2. Las nubes se pintan con blanco, pero no se presiona demasiado la barra para evitar cerrar por completo el grano del papel. Tanto si se pinta con la barra plana como de punta, es posible que el color del fondo respire a través del trazo. Observe cómo cada uno de los colores del papel se comporta de manera diferente con cada trazado de blanco. Lo mismo ocurre con el color amarillo que pinta la base del terreno.

> En la medida de lo posible, se tiene que pintar en papeles de calidad, desdeñando cartulinas y otros sustitutivos, ya que con el tiempo estos productos varían de color y se degradan.

3. Cromáticamente, cada papel responde de manera diferente al ser pintado con un mismo color. Del mismo moda que el color del papel respira entre los trazos, una capa de color puede respirar también a través de nuevos trazos.

EL PASTEL Y LA TELA

S i bien el pastel se puede pintar sobre cualquier superficie, aunque la más idónea es el papel, muchos artistas lo utilizan sobre tela. Para pintar sobre tela se puede emplear cualquier tipo de pastel, si bien el más recomendable es el pastel al óleo. Estos pasteles se adhieren a la tela con gran apresto y pueden ser tratados con aguarrás y pincel, además de poder ser mezclados también con pintura al óleo.

▼ 1. *Al igual que el resto de las técnicas del pastel, cuando se pinta sobre tela, los resultados siempre combinan los diferentes tipos de trazo. Como se puede comprobar, sobre la tela los colores del pastel se compactan mucho más debido a que la textura de una tela preparada es más abrasiva que la del papel, al tiempo que el poro de ésta también admite mayor cantidad de color.*

▼ 2. *Cuando se pinta con pasteles al óleo, es posible que la pintura se compacte tanto como para crear zonas de gran densidad. Por otro lado, las características de opacidad del pastel continúan inmutables. En este ejemplo se puede apreciar cómo se ha cambiado el color de las sombras del mantel.*

▼ *El pastel al óleo se puede fundir sobre la tela con ayuda de un pincel mojado en aguarrás; esto hace que el trazo se vuelva líquido, de manera que se alternan zonas muy fluidas con otras en las que el trazo continúa siendo patente. Como se puede ver, el pastel no tiene límites en su técnica, aunque tradicionalmente se reduzca a un tratamiento mucho más limitado.*

paso a paso
Flores con pastel y óleo

La técnica de este procedimiento no encierra especiales complicaciones; de hecho las normas básicas resultan extremadamente sencillas. Consiste en pintar con pastel y elaborar el resto del cuadro con el pincel impregnado con óleo o aceite de linaza. En el proceso de mezcla de los colores, las partículas del pastel se funden perfectamente con las de óleo. El atractivo de esta técnica reside en la combinación del efecto que proporciona el trazo del pastel al óleo con la fusión de la pincelada del óleo.

MATERIAL NECESARIO

Pasteles (1), óleos (2), paleta (3), pinceles (4), cartón entelado (5), esencia de trementina (6), aceite de linaza (7) y trapo (8).

1. *La pintura se inicia con un rápido esbozo realizado con óleo muy aguarrasado y el pincel casi seco. No interesa que el cuadro se embadurne de aceite ni de aguarrás, para poder trazar directamente con pastel sin que se fundan todavía los colores. Una vez realizado el dibujo, se plantean los primeros colores; la flor rosa se pinta en primer lugar con trazos muy sueltos y directos; sobre ésta se mancha el color gris de las margaritas en sombra; el resto de los colores se plantea muy directamente y sin acabar de concretar la forma de las flores.*

2. *Se acaba de esbozar la forma de las flores, así como la de las hojas y los tallos. Con el pincel ligeramente mojado en aceite, se arrastra el color de los tallos hacia el lateral del jarrón, con lo que se insinúa su forma con una sencilla valoración. Con un pastel de color gris violáceo se manchan las zonas de sombra de la tela del fondo.*

3. *Se pasa con el pincel ligeramente mojado de aguarrás sobre la forma de los tallos y el pincel se impregna de color verde. Con pinceladas muy finas se trazan algunas líneas que comienzan a dar forma a la flor amarilla. De momento, todo el trabajo inicial se está realizando con pastel, excepto algunas pequeñas intervenciones con óleo como el encaje. Para adecuar una buena base para el óleo, la superficie tiene que ser lo menos grasa posible.*

4. *Se realizan unos impactos directos de pastel de tono rosa violáceo; con ello ya está planteado el color inicial que va a servir de base para trabajar con óleo. Con óleo verde oliváceo se pintan las hojas de la derecha, superponiendo la pincelada al manchado inferior con pastel, pero sin arrastrar el color. Se realizan los oscuros de la parte interior de los tallos con óleo azul violáceo. Con un verde oscuro se pintan las sombras de las hojas y los oscuros de los tallos. En el jarrón se pinta con pastel blanco en su zona iluminada, que luego se mezcla con el color gris del óleo.*

5. *La flor amarilla se desarrolla con impactos de pastel y de óleo; en estas pinceladas se arrastra parte del color de pastel y se mezcla directamente sobre el cuadro. En la gran flor central, también se pintan unas manchas de color oscuro en el final de los pétalos. De la misma manera, en los grises de las margaritas del fondo se dan unas pinceladas de óleo de color gris. Las hojas de la parte superior se oscurecen con una pincelada alargada de óleo, que arrastra en su recorrido parte del color inferior.*

La pintura con óleo y pastel no es muy complicada, pero se debe tener en cuenta que no todas las zonas deben empastarse con óleo; el pastel debe respirar a través de los trazos que se agreguen.

6. *Esta fase de trabajo es de fusión y aplicación de pequeños empastes de óleo sobre la base de pastel. Las formas de las flores se consiguen alternando la pincelada directa con otra pincelada de arrastre que funde parte del pastel pintado en primer lugar. Con el pincel aceitado se repasan los oscuros de la tela del fondo; si aún resultan demasiado claros, se puede añadir polvo de pastel de color gris violáceo.*

7. *Una vez que se han pintado las principales manchas de óleo y fusionado los colores, se vuelve a insistir con diversos pasteles para producir impactos de color en algunas zonas muy concretas de las flores. Se presiona fuertemente con la barra para dejar parte del color como un empaste muy luminoso. De este modo se puede dar por concluido este trabajo realizado con técnicas mixtas de pastel y óleo.*

ESQUEMA-RESUMEN

El esbozo inicial se realiza con óleo muy aguarrasado. Las primeras capas de color, en una técnica mixta como ésta, siempre tienen que ser menos grasas que las posteriores.

La tela del fondo se pinta con pastel, y se repasa con pincel mojado en aguarrás para que se funda el color.

Unos impactos muy directos de pastel crean puntos de luz entre las hojas y los tallos.

Las primeras manchas del cuadro se realizan con pastel y sirven de base para matizar las formas de las flores. El pastel se adapta perfectamente a la tela y luego se puede fundir con la pintura al óleo.

4 Gamas de color

LAS GAMAS CROMÁTICAS

El pastel es un medio pictórico, ¿qué quiere decir?. Simplemente, que tanto su manejo como su resultado final permiten al artista lograr a través de la textura y el color cualquier efecto propio de la pintura. La principal característica de la pintura al pastel es su gran colorido y la vitalidad cromática de cada trazo. Los colores al pastel no se obtienen mediante mezclas, sino aplicándolos directamente desde la caja donde se guardan.

La técnica del pastel puede ser tan compleja como lo exija la capacidad del artista. El conocimiento de los materiales permitirá al aficionado acercarse a este procedimiento adoptando nuevos materiales a medida que la necesidad expresiva lo requiera. Como medio pictórico, el pastel ofrece una gran variedad de posibilidades, comenzando por la propia aplicación del color y sus gamas.

▶ *Una gama cromática es aquella que guarda una armonía entre los colores que la forman; así, si se observa la paleta de los colores al pastel, se pueden distinguir colores que se pueden agrupar por temperaturas. Una gama podría ser, por ejemplo, la de los colores tierra; éstos abarcan una gran variedad de tonos.*

Como las gamas de colores al pastel pueden ser muy extensas, se recomienda utilizar gamas especializadas en temas concretos: marinas, paisajes, retratos, etc.

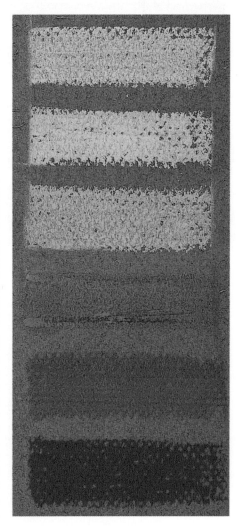

◀

Otras gamas cromáticas son las llamadas gamas armónicas, que están compuestas por colores de una misma familia. Por ejemplo, los colores fríos son todos los azules, verdes, amarillos verdosos y violetas. La gama de los colores cálidos estaría compuesta por los rojos, amarillos rojizos y naranjas.

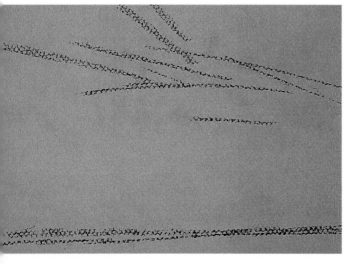

LA GAMA CÁLIDA

L as gamas están compuestas por conjuntos de colores que se familiarizan entre sí por su temperatura tonal. Cada gama permite desarrollar temas propios, aunque también es posible la interpretación del modelo a partir de una gama determinada. Si se observa un cielo al mediodía, se puede apreciar una gran variedad de tonos fríos, si bien éstos también se pueden interpretar con colores cálidos. En este ejercicio se pretende practicar con diferentes colores pertenecientes a la gama cálida.

▶ **1.** *El color del papel influirá decisivamente sobre los colores que se pinten encima. El encaje previo se puede realizar con cualquier color, sin que importe demasiado si es más claro o más oscuro que los que se aplicarán después, ya que la opacidad del pastel permite la superposición de cualquier capa de color y las líneas iniciales se asumirán perfectamente por estos colores.*

▶ **2.** *Se comienzan a pintar los primeros colores, que sirven para manchar la zona correspondiente al fondo del cielo. Este paso se realiza con la barra de pastel plana entre los dedos; la fuerza con la que se presione el pastel va a determinar si el poro del papel se sella o, por el contrario, si continúa abierto. Los colores utilizados en este ejercicio pertenecen en su totalidad a la gama cálida. Sobre la base de color, en la zona inferior del cielo, se aplica un tono rojizo, que se difumina sobre el color inferior.*

▶ **3.** *Con tonalidades muy luminosas de amarillo de Nápoles se pintan las nubes; este proceso no es complicado, pero conviene realizarlo con delicadeza pues el color luminoso tiene que mezclarse por completo sobre el fondo. Una vez que se han manchado, las masas de las nubes se extienden suavemente con los dedos y el color se integra sobre el fondo. Sobre este color luminoso se pinta con otro mucho más claro. Esta nueva aportación sirve para incrementar los claros de las nubes; esta vez, los tonos de luz no se funden sobre los inferiores.*

LA GAMA FRÍA

En la propuesta que se presenta en esta página, los colores que se van a emplear son algunos de los correspondientes a la gama fría. A esta gama cromática pertenecen los azules, los verdes y algunos amarillos. Al igual que en el ejercicio anterior, esta propuesta tiene como único fin mostrar la aplicación de una gama determinada. En este ejemplo se va a pintar la superficie del agua, a partir de un papel de color azul muy luminoso.

◀

1. Se dibuja una línea de horizonte muy elevada ya que el tema que se va a desarrollar ocupa la zona correspondiente al agua. Este sencillo trazo en el horizonte marca el inicio de un degradado. Se comienza con un tono azul oscuro, siempre con trazos horizontales, se continúa con un color azul medio y, en el término más cercano, se pinta con verde esmeralda. Todavía no se funde ningún color y en algunas zonas se observa el color de fondo del papel.

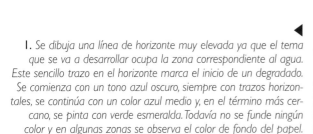

◀

2. Con suavidad, se realiza un delicado fundido de los tonos aplicados; los límites entre los colores desaparecen casi por completo y la característica propia del trazo se desvanece en un tenue degradado que se mezcla sobre el fondo. No hay que presionar mucho con los dedos para que se fundan los tonos; cualquier ligera presión es más que suficiente para lograr este efecto; además, tampoco hay que sellar el poro del papel con un exceso de presión.

◀

3. Sobre los tonos anteriores se dibuja con otros más claros para representar las partes más luminosas de las ondas marinas. También se emplean colores oscuros que contrastan tanto con el fondo como con los trazos claros. Son estos últimos detalles los que determinan la luminosidad y textura de la superficie. Los brillos son muy puntuales y consisten en tonos mucho más claros y luminosos que los utilizados en la base cromática del degradado.

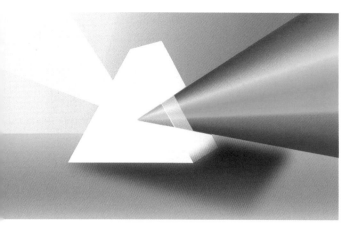

▼ *Cuando un rayo de luz blanca se descompone, da lugar a un conjunto de colores que se dividen en primarios (amarillo, cian y púrpura); secundarios (verde, rojo y azul intenso), y terciarios o intermedios (naranja, carmín, violeta, azul ultramar, verde esmeralda y verde claro).*

COLORES COMPLEMENTARIOS

S i se hace pasar un rayo de luz a través de un prisma de cristal, la luz blanca se descompone en el espectro cromático de la misma manera que se forma el arco iris a través de las gotas de agua. Los colores que forman el arco iris constituyen la base de la cual parte el resto de los colores de la naturaleza. Está claro que en el pastel no es necesario (ni conveniente) realizar mezclas, puesto que las gamas se encuentran ya en la caja. Aquí estudiamos el efecto que se produce cuando se utilizan los colores de manera adecuada.

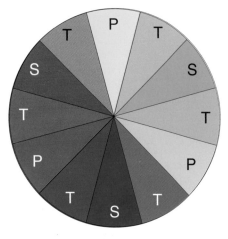

▶ *Si estos colores se sitúan en gradación en un círculo, se obtiene el llamado círculo cromático, en el cual figuran los colores complementarios, que son los que se enfrentan entre sí en dicho círculo.*

Sobre un papel azul se pinta una flor con su complementario, el rojo. Puede comprobarse cómo dicho color resalta sobre la superficie del papel; así mismo, las pequeñas brechas que quedan entre los trazos de color rojo hacen que el azul del fondo aflore con una gran fuerza y contraste.
▲

▶ *Si se escoge un papel rojo, se puede trabajar sobre éste con sus colores complementarios; esto provoca un fuerte efecto de contraste que hace que dichos colores vibren entre sí. El pastel es un medio especialmente indicado para este tipo de efectos visuales, dada la gran pureza que posee.*

Paisaje con tonos fríos

El paisaje es uno de los temas más interesantes para desarrollar todo tipo de gamas cromáticas. El que se va a abordar a continuación posee una gran variedad de matices que hacen referencia a la gama de los colores fríos. En este modelo se pueden apreciar innumerables notas de color dentro de la gama de los azules y blancos. Su elaboración puede parecer un tanto compleja pero seguro que, si se siguen atentamente las imágenes y las explicaciones técnicas, el resultado será más que positivo.

MATERIAL NECESARIO

*Papel de color tabaco (1),
pasteles (2) y trapo (3).*

1. *El encaje inicial se realiza con un color muy claro que destaca fuertemente sobre el fondo. No se dibujan todos los árboles ya que esto sería poco menos que imposible; tan sólo se esbozan algunas líneas verticales que inducen a entender la composición. La zona inferior correspondiente al terreno se pinta con blanco y azul, con un enérgico trazado vertical que forma dos bandas claramente definidas.*

2. *Con una tonalidad blanquecina de color hueso, se pinta en la zona superior con trazos verticales; ésta corresponde a la parte visible del cielo que se recorta por encima de las copas peladas de los árboles. Tanto la parte superior como la inferior se funden con la yema de los dedos; el trazo pierde momentáneamente su presencia. Con pastel negro se trazan los primeros oscuros de algunos árboles y con trazos directos de color hueso se dibujan algunos claros del fondo. Las zonas de máxima luminosidad se pintan con trazos de color blanco.*

3. *En la zona superior se vuelve a manchar con trazos de color hueso, esta vez de forma mucho más directa; algunas de las ramas de los árboles se dejan sin pintar, es decir, en reserva. Se pinta en el fondo con tierra verde y los colores se funden ligeramente con los dedos. También se acaba de restar presencia al blanco excesivamente luminoso de los árboles.*

4. *En toda la zona inferior se interviene con azul luminoso; el color se funde inmediatamente sobre el fondo. Con negro se refuerzan los troncos de los árboles y se dibujan también las sombras sobre el suelo; esta intervención reseña perfectamente la dirección de la luz.*

5. La profusión de trazos de color hueso en el cielo deja entrever zonas del fondo sin pintar que se incorporan entre los troncos de árboles pintados del primer término. Para que la apariencia de los troncos resulte creíble, es necesario pintar algunos contrastes intensos con pastel de color negro. Este paso es muy importante. La intervención de los colores fríos es directa sobre el terreno, y los trazos se superponen al fondo anteriormente fundido. Si se observa atentamente la parte correspondiente a las ramas, éstas se superponen con trazos de dibujo sobre la base difuminada.

6. Entre las ramas se hacen vibrar algunas notas de amarillo de Nápoles; con esta aportación luminosa, los azules vibran con mayor potencia por efecto de los contrastes complementarios. Con pastel negro se acaban de perfilar algunas ramas de los primeros términos, donde también se dan algunos trazos de color azul.

Hay que procurar utilizar colores variados aunque se trate de trabajar a partir de una determinada gama cromática. Los colores de otras gamas potencian la luminosidad de los colores de la gama utilizada.

7. *La conclusión de este ejercicio es bastante elaborada. Los detalles de los árboles del primer término se superponen a los de los términos posteriores; es precisamente en este punto donde la diferencia de contrastes pone en evidencia la forma. Los puntos más luminosos correspondientes a la nieve de las ramas se pintan con blanco puro, pero a su vez el contraste de la parte seca del árbol se pinta con negro y con gris; estos tonos hacen que aumente el efecto de luminosidad de la nieve. Por último, con unos toques de color azul se acaban de matizar los árboles más distantes.*

ESQUEMA-RESUMEN

El encaje inicial se realiza con un color muy claro que destaca fuertemente sobre el fondo.

Los puntos más luminosos correspondientes a la nieve de las ramas se pintan con blanco puro.

La zona inferior correspondiente al terreno se pinta con blanco y azul, con un trazado vertical que forma dos bandas claramente definidas; después este plano se funde con los dedos.

Con un color hueso se pinta con trazos verticales en la zona que corresponde a la parte visible del cielo que se recorta por encima de las ramas de los árboles.

Se pinta en el fondo con color tierra verde y los colores se funden ligeramente con los dedos.

Con negro se refuerzan los troncos de los árboles y se contrastan las zonas menos iluminadas.

5 Encaje y manchado

INICIO DE UN CUADRO Y EL ENCAJE LINEAL

El encaje general de un cuadro se realiza únicamente con las líneas indispensables para establecer su estructura principal. Por ejemplo, si se va a plantear un ramo de flores, las primeras líneas no responderán a los detalles, sino a la relación que tiene el conjunto con su entorno y a la situación de los elementos más importantes y al establecimiento de las zonas de luz y de sombra. Las primeras líneas son sólo una base para el trabajo posterior, mucho más elaborado.

Para pintar bien un cuadro es necesario comenzarlo con un buen planteamiento inicial. En este tema se va a hacer un especial hincapié en la construcción del modelo. Es muy importante aprender todo el proceso que se indica a continuación; si éste se asume como rutina del trabajo, todo el desarrollo del cuadro será mucho más fácil y el resultado final más satisfactorio.

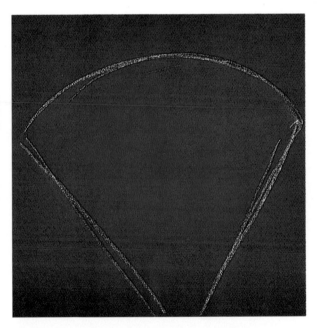

▼ 1. *Cualquier aficionado puede realizar sin ningún problema un esquema tan simple como éste. La figura que presenta la foto es únicamente un marco dentro del cual se van a colocar los distintos elementos del ramo que posteriormente serán desarrollados con todo detalle.*

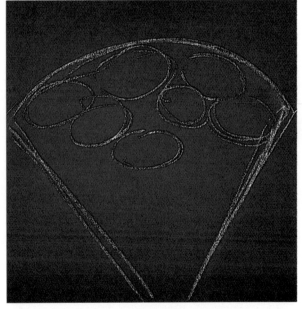

▼ 2. *Cuando la estructura básica del cuadro se ha solucionado por completo, el dibujo puede plantearse con un acabado mucho más preciso. Este proceso de trabajo ayudará al artista a entender cualquier modelo, por complejo que pueda parecer. Conforme el aficionado vaya adquiriendo experiencia con la práctica, podrá pasar por alto estos pasos previos al trabajo propiamente dicho.*

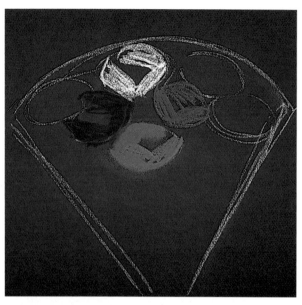

MANCHADO. APROXIMACIÓN AL COLOR

U na vez resuelto el encaje sobre el papel, se inicia el manchado del cuadro. En primer lugar, se deben eliminar las líneas suplementarias que se han utilizado para construir el bodegón. Según cómo se trabaje el cuadro, estas líneas se podrán borrar o bien cubrir con nuevos colores. Una vez concluida toda esta primera parte del proceso, se puede fijar con el espray fijador, pero no debe olvidarse que lo que se fija ya no se podrá borrar.

▶ 1. *Se plantean los primeros colores de las flores con el pastel plano entre los dedos; el color del fondo se integra perfectamente como otro color más del conjunto.*

▼ 2. *El pastel puede ser fundido o planteado como un dibujo directo; ambos recursos tienen que ser muy bien controlados desde el inicio del manchado del cuadro. Las zonas que se funden pueden recibir trazos firmes. Sobre las primeras manchas se pueden trazar nuevas líneas que definen los contrastes. Con una goma de borrar se limpian los trazos que se salen del contorno de las flores.*

▼ 3. *Dado que será difícil que el artista disponga de todos los colores existentes en el mercado, un recurso muy práctico y recurrido es utilizar el pastel negro para lograr algunas gamas tonales de los colores. Observe aquí la amplia variedad de tonos que se puede lograr con el color negro. Tenga en cuenta que, al fundir dicho color sobre los inferiores, se pierde en parte la presencia del trazo.*

EL MATIZ DEL COLOR. AUSENCIA DE MEZCLAS

La paleta de la que dispone el artista es el estuche de colores. Su gama queda restringida a los colores que dicha caja contenga. Puesto que es muy importante, las mezclas en el pastel jamás deben realizarse, so pena de arruinar el colorido propio del medio. Ya a partir de las primeras aplicaciones del color, el aficionado irá necesitando colores y más colores con los que enriquecer el cromatismo del cuadro. Aunque el tono de algunos de ellos puede variar muy poco de uno a otro, su uso evitará empastar innecesariamente el papel.

1. En la técnica del pastel, más que en ninguna otra, el matiz de color tiene un interés fundamental. Éste es un sencillo ejercicio en el cual se puede apreciar la importancia de los diferentes tonos de pastel y cómo las mezclas no son necesarias para lograr numerosos matices. Primero se pinta el color que va a servir de base. En esta primera capa se realiza un degradado con tres tonos diferentes.

2. Sobre la base de los tonos trazados sobre el papel de color se pasan los dedos suavemente, para fundir los tres colores entre sí. Este fundido no pretende mezclar los colores; simplemente permite describir una base tonal sobre la cual posteriormente se van a plantear trazos y matices directos. Al realizar el fundido, debe cuidarse la integridad del color, de manera que sólo se alteren los márgenes de cada zona.

> Como no es posible tener todos los colores al pastel, la fusión de los colores con negro es una buena opción para establecer tonos y escalas.

3. *La anterior base de color permite aportar nuevos tonos. Esta vez con el pastel de punta, para permitir trazos directos que se superponen a los degradados anteriores. Este efecto será uno de los más interesantes que se van a desarrollar con la técnica del pastel. Los trazos que se suceden en el cuadro se plantean de manera directa; como se puede ver en este ejemplo, se emplean diferentes tonos a fin de promover la diferencia de planos.*

RECURSOS PARA NO ENSUCIAR EL CUADRO

El pastel es un medio que siempre se puede alterar con el dedo; esto supone una ventaja, pero al mismo tiempo representa un inconveniente: que el cuadro se pueda manchar de forma involuntaria. En las primeras fases del cuadro esto puede que no tenga una gran importancia, pero, a medida que la pintura avanza, cualquier accidente puede echar al traste muchas horas de trabajo. Para prevenir esta circunstancia, se pueden emplear diversos recursos muy fáciles de llevar a cabo.

▶ *Uno de los recursos más habituales y seguros es el fijado del pastel en un estadio temprano de su elaboración. Con una ligera rociada se evitará que las primeras capas de color se disgreguen al pasar sobre éstas la mano u otra barra de pastel. Sin embargo, este recurso debe utilizarse únicamente en las primeras fases de la pintura.*

▶ *Cuando se pinta con pastel parece inevitable que el cuadro se manche con el arrastre de la mano. El efecto se incrementa sobre todo cuando se trata de una pintura elaborada con gran cantidad de colores. A pesar de ello, es muy fácil prevenir dicha contingencia; basta interponer una hoja de papel limpio entre la mano y el trabajo. Se debe tener la precaución de no arrastrar este papel sobre el cuadro. Con este sencillo recurso se evitará el manchado involuntario del cuadro.*

▶ *Gracias a la utilización del papel limpio bajo la mano, se puede pintar apoyando ésta sobre el soporte sin que se emborronen las zonas manchadas por el color. Si se utiliza con asiduidad el papel como protección, se deberá cambiar tantas veces como sea necesario, para evitar que los colores más luminosos se ensucien.*

paso a paso
Flores

En cualquier técnica pictórica, el encaje es siempre una cuestión funda-mental. Es curioso pensar que, con unas pocas líneas muy simples, se pueda lograr una estructura idónea para la obra de arte más elaborada. El pastel facilita el trabajo progresivo del cuadro; las correcciones del encaje se pue-den realizar sobre la marcha, al igual que la aplicación del color. En esta pro-puesta se plantea la pintura de unas flores a partir de un sencillo encaje.

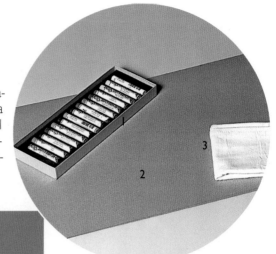

MATERIAL NECESARIO

Pasteles (1), papel de color gris (2) y trapo (3).

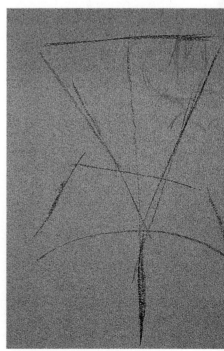

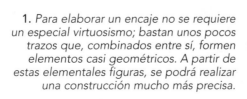

1. Para elaborar un encaje no se requiere un especial virtuosismo; bastan unos pocos trazos que, combinados entre sí, formen elementos casi geométricos. A partir de estas elementales figuras, se podrá realizar una construcción mucho más precisa.

2. Con el mismo pastel utilizado en el primer paso, se lleva el encaje a una mayor elaboración. Las formas se definen mucho más fácilmente gracias a que los trazos del primer esquema sirven de guía a otras líneas más concisas. No es necesario un dibujo exacto, ya que la opacidad del pastel permite rehacer continuamente el conjunto.

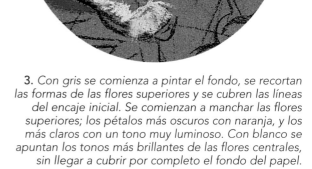

3. Con gris se comienza a pintar el fondo, se recortan las formas de las flores superiores y se cubren las líneas del encaje inicial. Se comienzan a manchar las flores superiores; los pétalos más oscuros con naranja, y los más claros con un tono muy luminoso. Con blanco se apuntan los tonos más brillantes de las flores centrales, sin llegar a cubrir por completo el fondo del papel.

4. Con gris y azul se acaba de pintar el fondo y se comienzan a fundir los trazos con la yema de los dedos. Se continúa el manchado de las flores de la parte superior con naranja, y se dejan en reserva zonas a través de las cuales se aprecia el color del papel. Con pastel amarillo se dan continuos impactos sobre el papel para iniciar la textura de las pequeñas florecillas; se emplean dos amarillos diferentes. Los tallos de las flores se apuntan con color negro, y sobre éste se comienza a manchar con diversas tonalidades de verde.

5. *Se acaba de fundir el fondo con nuevos tonos grises. Toda esta zona se unifica fundiéndola con la yema de los dedos sin llegar a interferir en las flores. Sobre los amarillos anteriormente fundidos sobre el fondo, ahora se dan sucesivos toques de color; el amarillo fundido sirve de base para estas nuevas capas de color. Las flores blancas también se funden de manera suave, sin restar completa presencia al color del papel.*

6. *Ahora el manchado inicial ya está completamente planteado; todas las aportaciones que se hagan a continuación van a servir para definir y apuntar la forma de algunas zonas, como, por ejemplo, en los tallos de las flores. Como se puede ver, la opacidad del pastel permite la superposición de luminosos tonos azules sobre el fondo negro.*

7. *Sobre los tonos que manchaban las flores superiores se plantean nuevos trazos que combinan diferentes colores sin que éstos se fundan entre sí. Los brillos se aplican de manera directa, sin llegar a intervenir con los dedos.*

8. *Se acaban de pintar los tallos de las flores con una gran variedad de tonos y colores verdes. Los oscuros de esta zona sirven de base perfecta para representar la profundidad de las sombras. Las flores blancas se acaban de perfilar con los tonos y colores oscuros que las rodean. Por último, se completan los numerosos impactos de color amarillo que se acaban mezclando con los anteriores y los tonos fundidos sobre el fondo.*

ESQUEMA-RESUMEN

El esquema inicial es completamente geométrico, de este modo se puede plantear el conjunto de la composición sin entrar en detalles.

El manchado de las flores superiores es muy genérico, tan sólo se plantea inicialmente con dos colores.

Las flores blancas se perfilan con los tonos que las rodean.

Sobre el color negro inicial de los tallos, se pinta con luminosos colores verdes.

6 Difuminado y perfilado

SEPARACIÓN ENTRE LOS COLORES

No existen trucos en la pintura, sino sólo una correcta utilización de los recursos. En el presente tema se exponen varios ejemplos que ponen de manifiesto las principales utilidades del pastel, es decir, cómo y cuándo utilizarlas. Unas zonas deben contener tonalidades fundidas; otras, por el contrario, elementos completamente lineales, formados por trazos y manchas sin fundir.

Uno de los recursos más utilizados en la técnica del pastel, es el fundido de los tonos mediante el arrastre de los dedos sobre la superficie pintada del papel. El aficionado debe aprender a utilizar cada recurso en el momento adecuado. Por desconocimiento de la técnica, algunos construyen el cuadro basándose en un trabajo completamente fundido, con lo cual el trazo y la frescura terminan por desaparecer; otros prefieren trazar y trazar hasta que el cuadro se convierte en un amasijo de trazos. En este tema se podrá ver cada una de las opciones y su utilización adecuada.

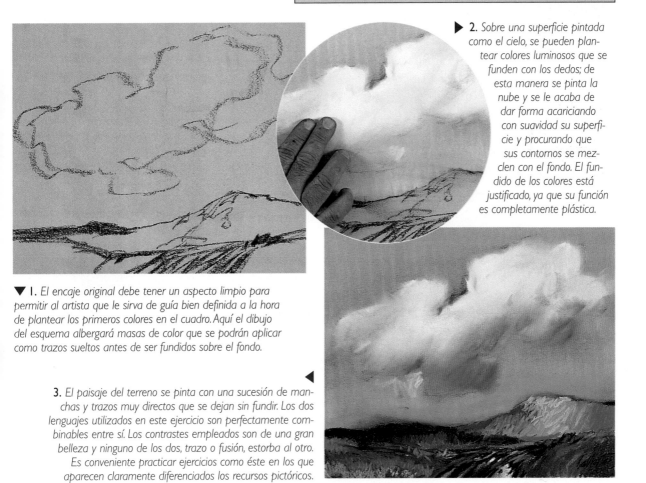

▶ 2. *Sobre una superficie pintada como el cielo, se pueden plantear colores luminosos que se funden con los dedos; de esta manera se pinta la nube y se le acaba de dar forma acariciando con suavidad su superficie y procurando que sus contornos se mezclen con el fondo. El fundido de los colores está justificado, ya que su función es completamente plástica.*

▼ 1. *El encaje original debe tener un aspecto limpio para permitir al artista que le sirva de guía bien definida a la hora de plantear los primeros colores en el cuadro. Aquí el dibujo del esquema albergará masas de color que se podrán aplicar como trazos sueltos antes de ser fundidos sobre el fondo.*

3. *El paisaje del terreno se pinta con una sucesión de manchas y trazos muy directos que se dejan sin fundir. Los dos lenguajes utilizados en este ejercicio son perfectamente combinables entre sí. Los contrastes empleados son de una gran belleza y ninguno de los dos, trazo o fusión, estorba al otro. Es conveniente practicar ejercicios como éste en los que aparecen claramente diferenciados los recursos pictóricos.*

PERFILADO DE LAS ZONAS

En el apartado anterior se ha podido estudiar un primer ejercicio sobre el que se ha practicado, en zonas diferentes del cuadro, el lenguaje del difuminado y el del trazo directo. Ambas maneras de trabajar se pueden combinar entre sí para potenciar todas las características del pastel. En esta página se presenta un ejemplo de cómo una forma de pintar se combina con la otra.

▶ **1.** *Cuando se pinta con pastel, se puede optar por dejar el trazo tal cual sobre el papel o bien extenderlo sobre éste con la ayuda de los dedos. La mancha extendida con los dedos permite modelar formas como la base de color, que servirá para pintar la copa del árbol. En primer lugar, se mancha con el pastel, y después se extiende con los dedos hasta fundirlo sobre el fondo; el fundido carece de precisión en sus contornos.*

▼ **2.** *Sobre la base de color difuminado se aplican trazos directos. Estas manchas recortan las formas anteriores y perfilan en negativo el contorno más definitivo del árbol. Los colores aplicados en primera instancia se pueden ver a través de los huecos dejados entre las masas de color. Una cuestión muy interesante que se realiza habitualmente con el pastel son los empastes. Éstos son trazos presionados sobre el papel de manera que se deposita sobre éste una cierta masa de color.*

▼ **3.** *Después de perfilar las ramas, se hace lo mismo con el resto de las zonas del cuadro. La superposición de capas de color es uno de los recursos que más se utilizarán de ahora en adelante, así como el hecho de pintar mediante difuminados y sucesivos trazos que se dejan mucho más frescos y espontáneos.*

1. *Antes de iniciar los contrastes del paisaje, es importante dejar especificadas, mediante el dibujo, cada una de las zonas del modelo, de lo contrario, los colores acabarán por mezclarse, cosa que no debe suceder con el pastel.*

LOS CONTRASTES SIMULTÁNEOS

B ajo este complejo título se esconde una técnica común a todos los procedimientos de dibujo y pintura, que hace referencia al juego óptico entre los tonos y colores del cuadro. En realidad, este concepto se ciñe a las leyes ópticas y al funcionamiento del ojo humano; es decir, cuando entre tonos o colores oscuros se pinta una tonalidad luminosa, ésta se verá mucho más clara, precisamente por el efecto del contraste que presentan los tonos más oscuros. Esto también sucede cuando entre tonos muy claros se pinta uno oscuro; dicho oscuro se verá más denso. En este ejemplo se podrá practicar este efecto óptico.

2. *Planteado el esquema inicial, se atacan las manchas según la intención que se tenga a la hora de aplicar los contrastes. En este ejemplo el máximo punto de luz se centra en la pequeña casa del paisaje; el resto de los colores y tonos se realizarán más oscuros y contrastados para incrementar la luminosidad de la construcción.*

En la técnica del pastel, el tono del papel es muy importante de cara a la aplicación de otros colores. Los tonos oscuros pintados sobre papeles oscuros aparecen más claros de lo que son en realidad.

3. *A pesar de que el blanco de la casa se ha planteado como el tono más luminoso, tampoco es necesario pintarlo completamente puro, sino que se puede combinar otros tonos brillantes como el amarillo de Nápoles. El contraste provocado por los tonos más oscuros que rodean esta zona aumenta la luminosidad del punto de luz.*

PRUEBAS SOBRE EL PAPEL

Los dos procesos que se proponen en el presente ejercicio se plantean a partir de un mismo tema pero sobre papeles de diferentes colores. Los pasteles utilizados en estas cabezas de caballo son los mismos, con el fin de poder comprobar cómo influye el tono en cada papel. En este ejercicio es importante tener en cuenta el valor de los tonos empleados sobre el fondo de color. Cada papel de color responde de manera diferente ante los difuminados que se realizan sobre ellos, a pesar de que los colores empleados sean los mismos.

▶ *El papel empleado en esta primera cabeza es de color gris. Sobre este papel los colores destacan con gran luminosidad ya que el gris se considera un tono neutro que no altera los tonos más que por los contrastes simultáneos que se pueden plantear con los más claros. El color del fondo respira perfectamente a través del difuminado inicial, sobre el cual se dibuja con trazos enérgicos y directos que se integran perfectamente sobre el tono.*

▼ *Este ejercicio es igual que el anterior, aunque en este caso el papel utilizado es de color rojo. Como se puede apreciar, los contrastes entre los oscuros destacan fuertemente sobre el tono del papel y los claros respiran con una gran naturalidad.*

▼ *El papel de color crema es uno de los que permiten una mayor naturalidad de los tonos y colores utilizados, ya que no se compromete con contrastes obligados por el tono del fondo del papel.*

paso a paso
Barra de pan

Una simple barra de pan puede ser un buen modelo para poner en práctica diversas técnicas pictóricas como las que se abordan en este tema. La elección del modelo es siempre importante, aunque no debe ser una cuestión que condicione el pintar o no pintar. A veces al aficionado le costará encontrar un motivo interesante como modelo. En realidad el objeto más humilde puede ser un motivo absolutamente válido. En un cuadro cualquier objeto bien desarrollado tiene una dimensión nueva y es digno de ser contemplado.

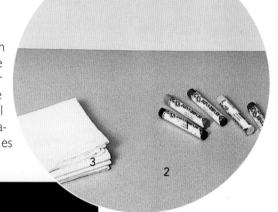

MATERIAL NECESARIO

Pasteles (1), papel de color gris (2) y trapo (3).

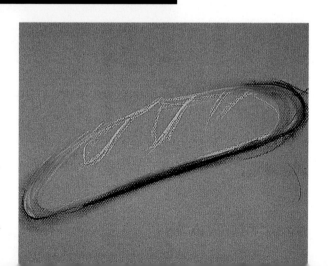

1. *El encaje se inicia con un color luminoso que resalta fuertemente sobre el papel. Una vez hechas las correcciones en el dibujo, se plantea el primer contraste con pastel de color negro. El trazo tiene una marcada intención dibujística y sigue la línea inferior asegurando la forma definitiva del pan.*

PASO A PASO: Barra de pan

2. Con la barra de pastel negro se realiza un fuerte oscurecimiento del fondo, de manera que la forma de la barra de pan queda bien recortada. Con la punta de los dedos se emborrona todo el fondo. En el interior de la barra de pan se traza con amarillo dorado. Observe el carácter del trazo; cada grupo de líneas sigue la forma del plano. Sobre estas líneas recién dibujadas se pintan los primeros contrastes con rojo; si bien éstos se funden suavemente con los dedos, no se funden por completo.

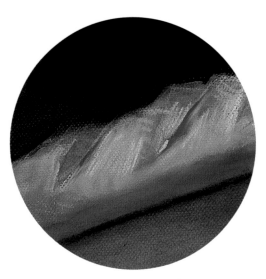

4. En este detalle se puede apreciar cuán importante es que algunas zonas de la pintura permanezcan frescas e intactas; ésta será la clave de la pintura al pastel. Mientras unos trazos se funden casi por completo, otros permanecen intactos durante todo el proceso de la pintura.

3. El fondo en su parte superior se oscurece totalmente, sin que se manche la zona interna del pan; de esta manera el contraste es absoluto. En la zona inferior se funde el color oscuro, y sobre éste se pinta con azul. La sombra de la barra de pan se pinta con un tono sombra, pero sin llenar por completo esta zona; el trabajo con los dedos facilita el reparto de la sombra sobre los tonos inferiores.

5. *El contraste de todo el fondo con respecto a la barra de pan, se realiza con una fusión total de los tonos empleados. Para obtener ciertos matices de luminosidad, sobre todo en el primer término, se realiza un trazado previo de color azul luminoso. Sobre la superficie fundida de la barra de pan, se inician nuevos trazados permitiendo que el color inferior respire entre ellos. Esta vez, el color empleado es un ocre anaranjado muy claro, que destaca por su pureza sobre los tonos emborronados de las sombras.*

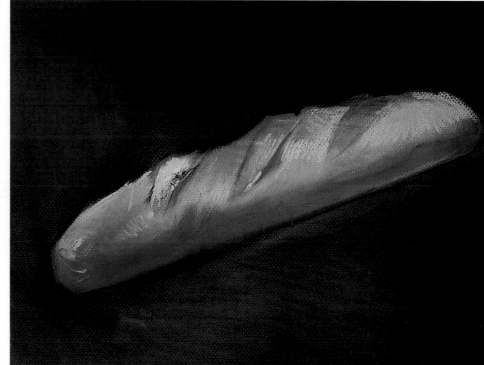

En la aplicación de los máximos contrastes, se debe procurar no emplear colores extremos, como el blanco o el negro, al menos en los primeros pasos; de esta manera, se podrá jugar mejor con las distintas gradaciones dentro de un mismo color.

6. *Los colores que se funden entre sí producen tonalidades sucias debido a la mezcla. Para remediar la falta de luminosidad, se vuelve a pintar con azul en el primer término del fondo; esta vez la zona se carga de matices. Así mismo, sobre la barra de pan se aplican manchas directas de color amarillo que le devuelven luminosidad a dichas zonas. También se dan algunos toques de verde esmeralda muy luminoso, que enriquecen la textura del pan.*

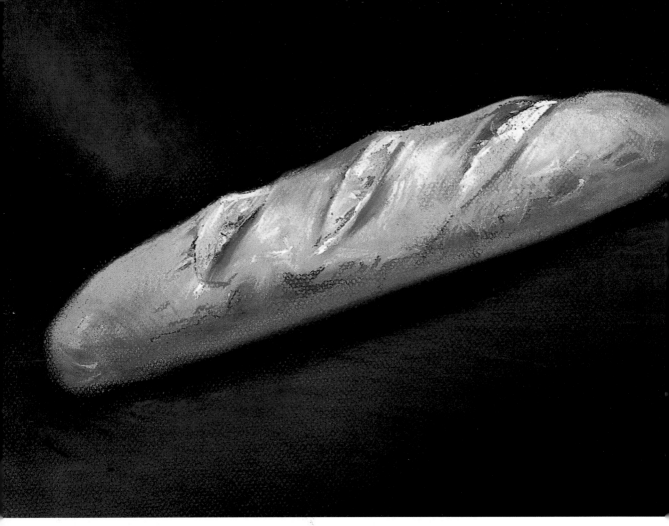

7. La mesa se pinta con azul cobalto, en un trazado muy directo que satura la sombra más luminosa y aumenta el contraste de los oscuros. El fondo superior, que se había pintado con carmín violáceo, destaca mucho más entre los tonos por el efecto del contraste. Para finalizar, se dan unos impactos muy luminosos sobre la corteza más dura, lo cual contribuye a conferir el aspecto harinado del pan sacado del horno.

ESQUEMA-RESUMEN

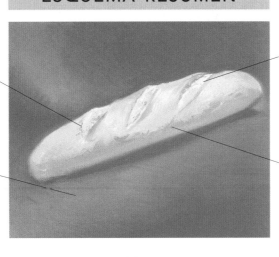

Mientras unos trazos se funden casi por completo, otros permanecen intactos durante todo el proceso de la pintura.

Los impactos más luminosos se pintan en última instancia y se dejan sin fundir.

En la zona inferior se funde el color oscuro, y sobre éste se pinta con azul.

Los colores que se funden entre sí producen tonalidades sucias debido a la mezcla; esto es necesario en algunas zonas.

7

Fondo y motivo

UNA SIMPLE INTERVENCIÓN

E l motivo principal del cuadro no siempre se encuentra rodeado de formas. A menudo se representa sobre un fondo completamente liso o sobre un degradado. Sin embargo, dicha intervención puede entenderse como un fondo incompleto cuando los elementos principales se encuentran mal situados dentro del cuadro o se aprecia un desequilibrio. Este problema se podría solucionar con algo tan simple como una sencilla corrección del fondo. El pastel permite actuar con gran rapidez y facilita una buena corrección.

En todas las técnicas de pintura surge un problema entre los principiantes cuando se enfrentan a uno de los aspectos más importantes en un cuadro: la diferencia entre el fondo y el motivo. No es lo mismo representar el objeto directamente sobre el papel limpio que hacerlo sobre un fondo, tanto si éste es uniforme, como si presenta formas o colores. Aunque no se pinte fondo alguno, el propio color del papel constituye dicho fondo e influye de manera decisiva sobre los elementos principales del cuadro. En este tema se van a tratar diferentes maneras de solucionar esta interesante dicotomía.

▼ 1. Las frutas que componen este bodegón se han encajado y desarrollado sobre un fondo neutro. Sin embargo, la relación de estos elementos con el conjunto parece perderse en el espacio que rodea los elementos principales. No se trata de una mala aplicación de la técnica del pastel, sino de una incorrecta relación entre el fondo y el motivo.

▼ 2. No es demasiado difícil corregir el equilibrio entre el fondo y el motivo. Unas pocas intervenciones, como las sombras y la solución del primer término con una diagonal, hacen que todo el conjunto adquiera dinamismo y unidad. Son estas pequeñas cuestiones las que a menudo pasan desapercibidas para el aficionado; sin embargo, si se practican ejercicios como éste, el equilibrio entre fondo y motivo se verá de una manera muy natural. Este mismo ejercicio de corrección del fondo se puede observar en muchas grandes obras de maestros de la pintura.

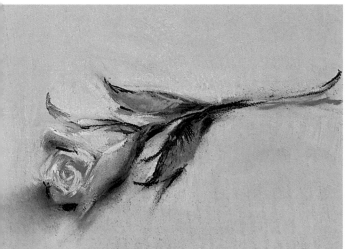

LA GRAN PALETA DEL PASTEL

Son muchos los recursos que permiten compensar y equilibrar el fondo y el motivo. En este procedimiento el color es uno de ellos, dado que se trata de un medio muy rico y espontáneo con el cual, con una intervención inmediata del fondo, se logra un cambio muy rápido de todo el conjunto. El ejercicio que se propone en esta página es un experimento con el color para apreciar los cambios a los que, solamente variando éste se puede someter una misma forma.

▶ **1.** *El dibujo de la flor es de gran importancia, ya que éste es independiente del color que se utilice para pintarla. Tras un esquema correcto, se pinta la flor con tonalidades amarillentas. Todas las intervenciones que se logren sobre el fondo van a influir sobre los contrastes del cuadro. Para comenzar, una vez que se ha pintado la flor, se ataca el fondo con variaciones de color amarillo. El contraste entre fondo y motivo es mínimo, aunque existe una gran armonía de luz y color.*

▶ **2.** *Sobre este mismo ejemplo, se interviene con una tonalidad de color ocre, de manera que el fondo destaca algo del motivo principal de la composición. Se deja que el anterior color amarillo respire en algunas zonas; con ello el contraste de las formas es mucho más intenso que en el ejemplo anterior. Es importante que el color del papel, o en este caso el del fondo pintado antes, respire a través de los nuevos trazos; esto permite que el conjunto adquiera unidad y un valor muy apreciado en la pintura: atmósfera.*

> Al hacer referencia al fondo y al motivo nos referimos a la relación entre los elementos principales del cuadro con los que lo rodean.

▶ **3.** *Se pinta todo el fondo de color siena oscuro; esto permite un fuerte contraste entre el fondo y el motivo principal. No es necesario cubrir por completo el papel, ya que de este modo adquiere una mayor profundidad y la flor destaca sobre dos superficies. Si se vuelve a revisar este ejercicio, se podrá apreciar cómo cada una de las intervenciones que se han realizado sobre el fondo repercute también en los tonos de sombra de la flor.*

SUPERPOSICIÓN Y FUSIÓN

Además de los recursos sencillos para tratar el fondo y el motivo en el pastel, existen muchos otros que permiten efectos de gran espectacularidad, desde las técnicas de superposición y fusión de los tonos. De esta manera es posible separar el fondo y el motivo por puntos de enfoque visual, prestando más atención a aquellas zonas que lo precisen. Este ejercicio es muy interesante para aprender cómo la impronta del pastel permite solucionar temas tan puntuales como el centro de interés de un cuadro.

◀

1. *Sencilla composición con dos únicos elementos principales sobre un fondo que permite el realce. Al pintar el fondo, éste recorta los elementos principales. El trazo es bastante evidente, se ha realizado de manera muy regular.*

▼ 2. *Una manera de aumentar el protagonismo de los elementos principales frente al fondo es mediante el fundido de los trazos que lo componen; se debe tener un especial cuidado al frotar los dedos sobre la pintura para no desdibujar la forma de los elementos principales.*

▼ 3. *Una vez que se ha fundido el fondo, la composición se puede enriquecer con nuevos elementos, que se dibujan y pintan con tonalidades más luminosas. Al pintar estas frutas, el color del fondo pasa a ser la base del color de las mismas, por lo que más adelante su luminosidad podrá verse afectada por la presencia del color del papel.*

LA CONCRECIÓN DE LAS FORMAS

En este ejercicio se puede apreciar cómo sobre un fondo ya pintado se realizan nuevas intervenciones en las que el color de los nuevos elementos se integra perfectamente. El protagonismo de las nuevas formas se puede ver acentuado si se vuelve a alterar el fondo que lo rodea. Observe también de qué manera el fondo puede verse implicado en la definición de los distintos elementos según el plano que éstos ocupan en el cuadro.

▶ **4.** *Las frutas que se han pintado en el fondo tienen una cierta importancia pero no se contrastan suficientemente sobre el color de base. Este contraste se logra con un simple oscurecimiento del fondo. El trazado se realiza de la misma manera que se hizo en la primera intervención, con la diferencia de que ahora el color de fondo se puede emplear como tonalidad que respira a través de los nuevos contrastes. Al oscurecer todo el término posterior, el cuadro adquiere una gran luminosidad, incluso los elementos pintados en última instancia.*

▼ **5.** *Para separar los diferentes planos del bodegón, se integran todos los elementos del último término en el fondo oscuro; para ello, tan sólo se funde suavemente el perfil de los nuevos elementos para desdibujar las formas; no se trata de mezclar los colores, sino de fundir el contorno de las frutas.*

▼ **6.** *Los brillos y realces permiten aportar la luminosidad necesaria al conjunto. En el primer término los brillos se pueden realizar de manera mucho más directa; en el segundo, estos brillos tienen que estar a su vez mucho menos definidos.*

paso a paso
Planos del paisaje

El tema que se va a abordar aquí es un paisaje de montaña, con árboles y diversos tipos de vegetación. Además del tema en sí, se va a poner un especial énfasis en uno de los puntos más interesantes de la pintura, el que hace referencia a la relación entre fondo y motivo. En este ejercicio es importante dar el valor adecuado a cada zona, algo que omiten muchos aficionados; la relación entre el motivo o elemento principal y el fondo se transforma en un intercambio de colores, tonos y contrastes de una zona sobre otra, cuestión a su vez fácilmente manipulable con la técnica del pastel.

MATERIAL NECESARIO

Pasteles (1), papel de color verde oscuro (2) y trapo (3).

1. *Los elementos principales del paisaje se esbozan y encajan con un pastel de color negro; éste color permite establecer un buen contraste, cualquiera que sea el color de base. En este estadio de la pintura, ya se pueden establecer las prioridades entre fondo y motivo. Observe cómo en el árbol principal se interviene con un contraste que lo separa perfectamente de los demás elementos de la composición.*

2. Los planos principales se tienen que separar para que resulte evidente la situación de cada término; para ello lo primero que se hace es comenzar a pintar el plano más distante, que es el que hace referencia al cielo. Aun en esta zona se hacen referencias a la relación de este plano con el fondo, ya que no se mancha con un color liso, sino que se pintan variaciones tonales que influyen en la relación de los contrastes de los elementos del primer término con respecto a este fondo.

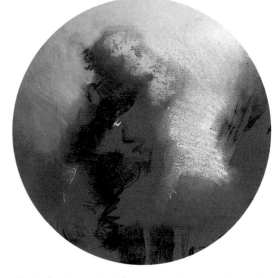

3. Se funde todo el fondo con la yema de los dedos; los tonos de los colores aplicados en el mismo se unifican y dan lugar a una interesante masa de claros y oscuros. Observe cómo el color liso del papel varía según el tono que lo rodea. En las zonas donde el cielo es blanco, el verde del papel se torna oscuro por efecto del contraste simultáneo; en cambio, en las zonas donde el azul es más oscuro, el contraste con respecto al verde aparece mucho más equilibrado.

4. Tal como se ha iniciado en el paso anterior, los puntos de luz del primer término facilitan la compensación de los tonos del fondo, en este caso el plano correspondiente al cielo. Se continúa pintando la zona de luz de los árboles con una presión suficiente como para que los tonos se compacten y cubran totalmente el color del fondo. Observe cómo en esta zona se permite que el propio color del papel intervenga como un tono más de la gama.

5. *Se siguen pintando los principales términos de luz del paisaje; esto va a hacer que el color mismo del papel se pueda incorporar como un tono oscuro perfectamente definido. Para representar los tonos medios del paisaje se buscarán variaciones tonales a partir del color del fondo del papel; estos colores se pintan y funden como parte de los colores del fondo.*
A partir de la situación de estos tonos medios, se establece una nueva relación entre el fondo y el motivo. Con la aportación de nuevos tonos en cada uno de los términos principales se crea un nuevo plano que separa el plano más distante del primero.

La relación del motivo o elemento principal con el fondo se transforma en un intercambio de colores, tonos y contrastes de una zona sobre otra.

6. *Con la aplicación de los contrastes más oscuros se produce un notable cambio con respecto a los pasos anteriores. Las aplicaciones de pastel negro de la derecha permiten que en ciertas zonas se pueda ver perfectamente el color de fondo del papel. La fusión de estos oscuros en otras zonas facilita la integración del color del papel con los aportados por los pasteles. En el término principal, un azul grisáceo permite situar toda una zona de sombra; este tono va a servir de base cromática definitiva para el paso final.*

7. *En la técnica del pastel no existen las mezclas, por este motivo cada color que se aplique proviene directamente de la caja; es probable que entre las gamas de pasteles de muchos aficionados no figure alguno de los colores que se especifican en el ejercicio; no importa, siempre se puede utilizar otro similar. Con verde claro se pintan las zonas luminosas del césped; las sombras del primer término se pintan con azules oscuros y grises. Por último, los toques de luminosidad en el árbol principal se aplican mediante impactos directos de pastel; de esta manera toda la arboleda se integra en el fondo del cielo.*

ESQUEMA-RESUMEN

La pintura del cielo permite situar los planos del paisaje; los tonos de azul se tendrán que compensar con los que se apliquen en el resto del cuadro.

Impactos directos de azul claro integran el fondo y el motivo de este cuadro.

Los brillos de los árboles se compensan con los diferentes puntos de luz en el cielo.

El color del papel respira a través de las manchas y trazos, integrándose como un color más del conjunto.

Contrastes y colores

DEGRADADOS

E l degradado es una de las principales cualidades que presenta el pastel. Consiste en la evolución progresiva de un
tono hacia otro. A lo largo de los diferentes temas se han practicado diferentes tipos de degradados. En este tema se va a trabajar sobre el degradado y los contrastes que los colores permiten. Los degradados sirven para elaborar una sucesión de
tonos encadenados y también para lograr cadenas de tonos de
diferentes colores que se funden entre sí.

Nada mejor que una buena utilización del pastel
para lograr todo tipo de efectos de fusión del
color. Aunque no se debe confundir la fusión con
la mezcla, puesto que, ésta no debe tener lugar
en la técnica del pastel. Los fundidos forman
parte del procedimiento pictórico del pastel;
mediante este recurso será posible la aproximación al modelado. Por otro lado, la ausencia
del fundido permite yuxtaponer colores que
actúan como planos contrastados.

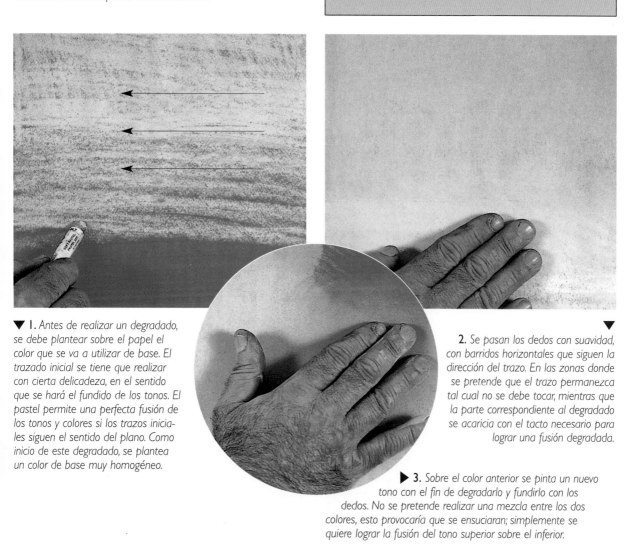

▼ 1. Antes de realizar un degradado,
se debe plantear sobre el papel el
color que se va a utilizar de base. El
trazado inicial se tiene que realizar
con cierta delicadeza, en el sentido
que se hará el fundido de los tonos. El
pastel permite una perfecta fusión de
los tonos y colores si los trazos iniciales siguen el sentido del plano. Como
inicio de este degradado, se plantea
un color de base muy homogéneo.

2. Se pasan los dedos con suavidad,
con barridos horizontales que siguen la
dirección del trazo. En las zonas donde
se pretende que el trazo permanezca
tal cual no se debe tocar, mientras que
la parte correspondiente al degradado
se acaricia con el tacto necesario para
lograr una fusión degradada.

▶ 3. Sobre el color anterior se pinta un nuevo
tono con el fin de degradarlo y fundirlo con los
dedos. No se pretende realizar una mezcla entre los dos
colores, esto provocaría que se ensuciaran; simplemente se
quiere lograr la fusión del tono superior sobre el inferior.

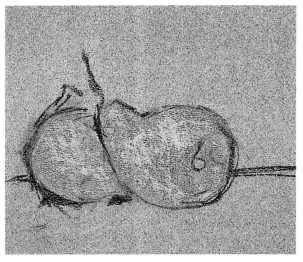

TONOS

Los tonos son la capacidad de gradación que permite un mismo color o una misma familia de colores. Con el pastel, al igual que con otros medios de dibujo, se pueden lograr diferencias tonales a partir del estudio de valoración y de fusión de un tono sobre otro, pero, a diferencia del trabajo que permiten los medios de dibujo, el pastel consigue ser completamente pictórico y definir, a partir del degradado, cualquier concepto plástico propio de la mancha o del trazo. En este ejercicio se propone un trabajo con tonos mediante la fusión de oscuros sobre claros.

▶ 1. *La realización de un ejercicio de frutas mediante el tono tiene mucho que ver con los diferentes conceptos de dibujo, pero, desde el momento en que el color del fondo del papel pasa a formar parte del cromatismo general del cuadro, el concepto inicial de dibujo varía hasta ser un valor pictórico. Tras el primer manchado, las zonas que conservan el fondo se integran en la mancha luminosa.*

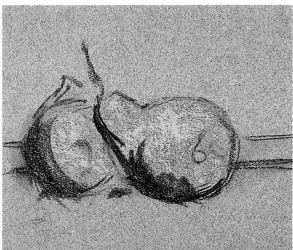

▶ 2. *Sobre el primer tono de color amarillo se añade un nuevo trazado oscuro que servirá para plantear la sombra de la composición. Esta tonalidad más adelante se fundirá con el primer color, pero ello no implica que varíe el conjunto de los colores del pastel ya que no se va a producir mezcla entre los colores sino fusión entre tonalidades cálidas.*

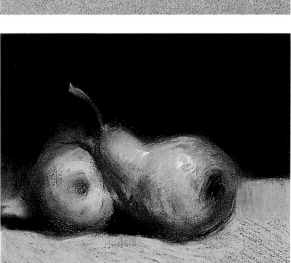

▶ 3. *Se pinta todo el fondo y se logra un fuerte contraste entre los colores del primer término y de los posteriores. Con una tonalidad naranja se pinta el plano de la mesa; de esta manera se completa el conjunto de tonos. La fusión de los colores se realiza con los dedos, acariciando un tono sobre el otro. Para que los tonos se degraden, conviene utilizar una gama de colores de la familia, es decir, como en este caso, colores cálidos.*

CONTRASTES CROMÁTICOS Y TONALES

Los colores se pueden plantear de dos formas bien diferentes. Como se acaba de ver, la fusión de los colores como tonos se convierte fácilmente en un ejercicio de modelado, pero también se puede optar por un tipo de trabajo diferente. En esta propuesta los contrastes no se producen mediante la fusión directa de los tonos, sino directamente entre los colores; este procedimiento de trabajo da lugar a resultados muy coloristas que se ponen en realce gracias a la técnica del pastel. En el ejercicio que se propone en esta página, se va a realizar un doble trabajo: el primero parte de la fusión de los tonos, y el segundo del contraste cromático directo.

> Para comprobar el efecto óptico de ciertos contrastes, es conveniente realizar antes una prueba en papeles preparados para el caso. Cuando el papel sobre el que se trabaja es blanco, las pruebas se pueden realizar sobre papel corriente.

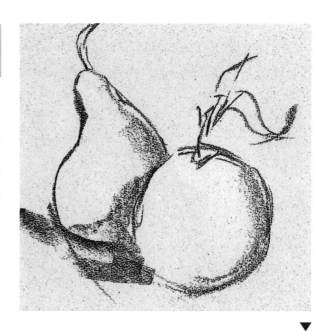

▼

1. *Sea cual sea el trabajo al pastel que se pretenda realizar, el dibujo inicial tiene una gran importancia de cara a la construcción del tema. Este mismo tipo de encaje servirá para plantear los dos ejercicios que vienen a continuación. Bastan unas pocas líneas para insinuar las formas de las dos piezas de fruta.*

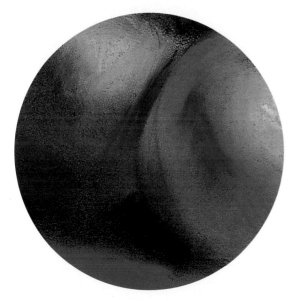

▼ 2. *En este detalle ampliado de la pintura, se puede apreciar el fundido de los tonos y cómo los oscuros se degradan sobre los claros hasta formar una perfecta fusión. Tanto la aportación de sombras como los tonos medios de luz se funden suavemente sobre las capas inferiores. El contraste que se obtiene es tonal.*

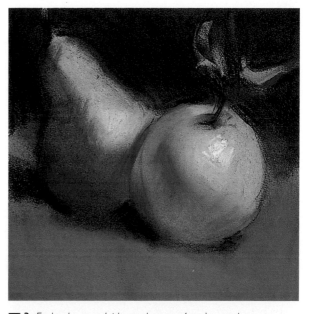

▼ 3. *En la obra concluida se observa cómo las sombras se integran sobre los tonos más luminosos, y cómo los tonos claros no presentan un contraste cromático impactante sino una diferencia basada en los contrastes complementarios; es decir, los claros y oscuros se potencian mutuamente.*

▼ **1.** *El encaje del cual se parte en este ejercicio es idéntico al anterior. Las primeras líneas permiten plantear el trabajo sea cual sea su posterior evolución. En este ejercicio se comienza aplicando de manera muy impactante colores que contrasten fuertemente entre sí. Este primer trazado es directo y muy espontáneo.*

CONTRASTES CROMÁTICOS

En la primera parte de este ejercicio se ha estudiado cómo los claros y oscuros se pueden fusionar entre sí siguiendo una misma escala tonal. Esta segunda opción trata de interpretar el mismo tema anterior, pero con un desarrollo del color completamente diferente. Esta vez el contraste que se crea no es tonal sino cromático. Preste una especial atención a los diferentes planos y a cómo los colores reaccionan entre sí.

▼

2. *En este detalle se observa cómo, a pesar de que algunas zonas entran en fusión, otras se prestan a un acabado fresco y directo. Las zonas que se funden colindan con otras que presentan el aspecto original del trazo, y a través de las cuales se aprecia tanto el grano del papel como el color del mismo.*

▶ **3.** *A pesar de que en este trabajo es importante que los colores contrasten fuertemente entre sí, también lo es el tránsito entre algunas zonas tonales. Así, en el fondo, donde el azul más luminoso se mezcla con la zona azul inferior, es mucho más oscuro. Es importante que los colores de diferentes gamas cromáticas no interfieran entre sí, o, si lo hacen, que sea de la manera más discreta posible, ya que se corre el peligro de que se mezclen y esto debe evitarse siempre en el pastel. Un azul se puede mezclar y fundir con otro color frío, pero no debe hacerlo sobre uno de la gama cálida.*

paso a paso
Marina

La fusión y superposición de tonos va a ser una constante a lo largo de todas las técnicas del pastel. Unas veces se podrá tratar el color como una nebulosa que se expande sobre el papel sin límites determinados; otras, el color tendrá formas perfectamente delimitadas y el trazo será visible. Para poner en práctica las técnicas de fusión y superposición de trazos se propone la realización de una marina. Éste es un ejercicio sencillo a pesar de lo que pueda aparentar tan magnífico resultado final.

MATERIAL NECESARIO

Pasteles (1), papel de color azul (2) y trapo (3).

1. *El planteamiento del pastel a menudo tiene un carácter de dibujo. Como el tratamiento pictórico se traduce en la superposición de capas de color que a su vez son opacas, este primer encaje no tiene por qué presentar un trazo demasiado preciso. En este ejercicio se establece una línea de horizonte muy elevada, por lo que se muestra una gran extensión de mar, espacio más que suficiente para practicar todo tipo de ejercicios de fusión y superposición de tonos.*

2. *La gama de colores que se va a emplear en la elaboración de este paisaje pertenece a la familia de los fríos, es decir, verdes y azules. Utilizando esta restringida escala, y aprovechando el color del papel, los contrastes que se apliquen no serán cromáticos sino más bien tonales. Primero se traza la pequeña franja correspondiente al cielo; en el mar se interviene con un fuerte azul luminoso que contrasta sobre el papel. La zona del oleaje rompiente se pinta directamente con blanco y acto seguido se resta presencia al trazo con los dedos.*

3. *Sobre el blanco de la espuma del mar se trazan unas manchas de color azul que encuentran sobre el color anterior una base perfecta para ser fundidas con los dedos. El margen de la espuma del mar se perfila con un tono verdoso; al lado de dicho color se pinta con azul; los colores se acaban de fundir. A la derecha, se inicia el oleaje sobre el acantilado con trazos nerviosos de color blanco.*

4. *Desde el horizonte se plantea una fusión de tonos azules; para ello se utiliza azul ultramar, aunque no se cubre completamente el papel, sino que se deja que su color respire a través de algunas zonas. Se puede apreciar que existe una clara diferencia de planos, separada por la línea horizontal de espuma y las rocas de la izquierda. Toda la parte que corresponde al blanco de la espuma se pinta con trazos directos de color blanco.*

Es necesario que los colores que se entiendan como más luminosos se reserven para las zonas de máximo brillo. Los brillos y contrastes máximos tienen que pintarse en último lugar.

5. En la zona inferior, donde el agua rompe sobre los escollos, se realiza una fusión del color blanco sobre el fondo. Seguidamente se vuelve a dibujar con la barra de pastel blanco; esta vez el trazo es directo. Sobre las rocas del primer término que antes se habían difuminado a partir del color negro, se trazan manchas de color azul, que se funden suavemente sobre el oscuro anterior y de esta manera se le da forma a cada roca. Al fondo, sobre la línea del horizonte, las formas se acaban de perfilar; como no interesa un trazo demasiado directo, se funde ligeramente con el dedo.

La base de los colores en el fondo se funde para crear una capa inicial de colores sin un perfil muy definido.

6. El trazo directo y de fusión es muy importante para representar la espuma del mar. Este paso no es difícil, aunque es necesario que la base de color blanco se integre de manera suave sobre los tonos azules del fondo. Una vez que se han realizado las diferentes fusiones de tono, se vuelven a pintar impactos de color blanco.

7. *En la franja intermedia entre las dos zonas de espuma se realizan algunas nuevas fusiones de color, aunque éstas son muy discretas. En la parte superior de esta zona se pasa la barra de pastel plana, muy suave, con lo que la* *textura del papel se pone de manifiesto. Los oscuros de las rocas se perfilan con el pastel de punta. Sólo resta dar algunos toques directos de blanco sobre la línea horizontal de la espuma marina para crear impactos de luz.*

ESQUEMA-RESUMEN

El término intermedio marca la diferencia entre los planos del cuadro; bajo esta línea el trabajo será mucho más meticuloso.

Una vez que se han fundido los tonos del oleaje, nuevos aportes directos ponen en realce la textura y los contrastes.

La primera intervención del color blanco se funde con el fondo de tonos azules.

Sobre las rocas de color negro se pinta con azul.

Fijado en el pastel

EL FIJADO DE LA PRIMERA CAPA

Las primeras capas se pueden fijar siempre y cuando no tengan que ser corregidas de nuevo, o bien si el cuadro se va a cubrir completamente con color. El fijador en espray es una buena herramienta si se utiliza con moderación y en el momento adecuado. En este primer ejercicio se mostrarán algunos de los recursos previos y posteriores al fijado de esta primera capa, la cual puede ser incluso el esbozo del dibujo, antes de recibir color.

En numerosas ocasiones en este libro se ha insistido en la importancia que tiene el pastel como procedimiento fresco y espontáneo y como dicho medio, si es fijado, corre el riesgo de perder dicha espontaneidad. Si bien el fijado puede tener una importante función cuando se realiza en las primeras fases del proceso, es preciso advertir que el acabado nunca debe ser fijado. Los procedimientos que se plantearán en este tema permitirán un avance importante en el pastel y sus recursos.

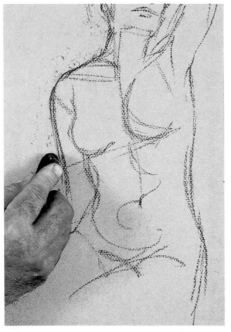

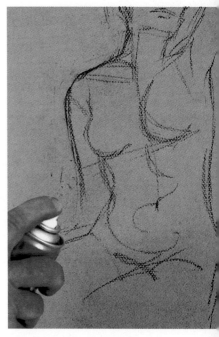

▼ I. *El esbozo se puede realizar lineal o por manchas y se puede corregir perfectamente mediante el borrón o la superposición de líneas. No conviene presionar demasiado la barra de pastel para que el trazo no quede demasiado marcado sobre el papel y poder así corregir más facilmente.*

▼ 2. *La goma de borrar ayuda a restaurar las líneas definitivas, de manera que el esbozo, mucho más definido, se convierte en una estructura firme. La estructura inicial bien realizada es siempre buena base para pintar con acierto. Las líneas fundamentales tienen que quedar limpias de cualquier trazo accesorio.*

▼ 3. *Una vez que el dibujo se considera definitivo, es cuando se puede fijar. La distancia del fijador al papel tiene que ser suficiente para que el rociado del mismo forme una película homogénea sin goteos. Una vez que el dibujo se ha fijado no se podrá volver a borrar; la única manera de corregir será pintando de nuevo sobre el dibujo fijado.*

▶ **1.** *El fijador tiene un secado muy rápido y permite una intervención del pastel casi inmediata; pero, por si alguna zona estuviera algo húmeda, será conveniente esperar unos instantes para que se acabe de secar por completo. Las zonas que permanezcan húmedas tienen un cierto brillo que desaparece después del secado.*

SEGUNDAS CAPAS SOBRE FONDO FIJADO

E l proceso de fijado permite asegurar el trazo inicial, pero también sirve para estabilizar ciertos efectos de mancha o color que servirán posteriormente como base del acabado final. Las nuevas correcciones que se realicen no van a afectar a las líneas que se fijaron anteriormente ya que éstas son permanentes.

Sobre el dibujo inicial perfectamente fijado, se pueden realizar nuevas intervenciones de pastel. Como éste es un ejercicio de correcciones y fijado, los distintos recursos que se emplean se han elegido en orden a dicha función.

3. *Gracias al fijado de la primera capa, es posible rehacer la pintura tantas veces como sea necesario, aplicando tanto contrastes que recortan el motivo principal sobre el fondo, como puntos de luminosidad que indican el volumen de las formas. El dibujo se puede rehacer ahora mediante manchas directas y trazos, dejando que respire perfectamente el fondo. Ahora ya no se debe volver a fijar la pintura para evitar que el trazo se apelmace.* ▲

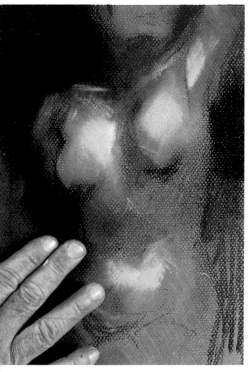

▶ **2.** *Cuando las nuevas capas de color se emborronan con los dedos, el dibujo que se fijó en la primera parte del ejercicio permanece estable y visible. Por mucho que se frote, ya no se fundirá ni sobre el fondo.*

CORRECCIONES Y CONSTRUCCIÓN DE LA PINTURA

La pintura al pastel está llena de posibilidades y recursos. Con el color y las capas sucesivas de pastel es posible corregir el cuadro a medida que se elabora. El fijado del pastel permite hacer capas estables que sirven de base cromática a la pintura, sin que se mezclen con las capas posteriores, por mucho que se manipulen.

◀

1. Como se pudo apreciar en el ejercicio anterior, el fijado del esquema inicial se puede realizar una vez se ha solucionado éste por completo. Incluso en un simple esbozo de paisaje este recurso puede tener una gran utilidad, ya que, tal como se podrá apreciar a continuación, los efectos que se realicen encima de dicho esquema requieren unas líneas perfectamente definidas para que no se pierda la estructura original.
No importa en este caso si queda alguna línea de más en el esquema inicial, puesto que los colores que se apliquen se encargarán de cubrirla completamente.

◀

2. Una vez que se ha fijado el esquema que va a servir de soporte a todo el dibujo, se inician las primeras manchas de color; éstas se trazan y emborronan con la mano sin que ello pueda afectar al esquema inferior, que se encuentra completamente estable. Gracias a la referencia del esbozo inicial, se pueden elaborar correcciones y rectificaciones de las formas del paisaje. Si es necesario borrar se podrá hacer sin que se eliminen las capas inferiores.

◀

3. Como todavía no se va a dar por concluido el cuadro y se han planteado algunas capas de color interesantes, se fija de nuevo con una rociada muy tenue. Este nuevo fijado permite tener una base de gran estabilidad sobre la cual se podrá trabajar de nuevo con todo tipo de recursos sin alterar las capas inferiores. Sobre todo, téngase en cuenta que la fijación del pastel nunca se tiene que realizar tras el acabado de la obra ni tampoco aplicarlo con demasiada insistencia.

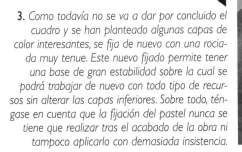

EFECTOS SOBRE EL FONDO FIJADO

Una base de color es el mejor soporte que se puede utilizar con pastel ya que las nuevas aportaciones de color encuentran una base cromática sobre la cual destacar por contraste o por fusión del tono. En todo caso, como se ha reiterado en numerosas ocasiones, el fijado del cuadro se realizará únicamente en las primeras intervenciones, con lo cual el trazo final, sin ningún tipo de fijado, quedará fresco y espontáneo.

▶ 1. *La anterior base de color es perfecta para continuar el cuadro con nuevas aportaciones tonales o cromáticas. En este caso se puede observar cómo las nubes se pintan y funden sobre el fondo sin que el color se mezcle con éste. Cualquier corrección que se realice a partir de ahora se tendrá que solucionar mediante la superposición de una nueva capa de color. De la misma manera que las nubes se han pintado sin que se altere el color inferior, en el árbol se pintan trazos y manchas, dejando que respiren algunas zonas del fondo.*

▶ 2. *En la zona correspondiente al terreno, los detalles se solucionan de manera directa; el color del fondo sirve de base a las nuevas tonalidades que se aplican con el pastel de punta. En esta parte del cuadro, los diferentes efectos pueden combinarse con el trazo directo o con el fundido de los colores.*

> El fijado sucesivo de capas de color plantea una buena base sobre la que el pastel se adhiere con fuerza, pudiéndose crear importantes empastes.

▶ 3. *Un acabado directo y fresco puede ser la solución perfecta a este efecto de sucesivos fijados. Como se puede apreciar, las capas inferiores respiran entre las nuevas zonas perfectamente delimitadas y construidas. Los nuevos fundidos no se llegan a mezclar con los colores del fondo, lo cual facilita que el pastel presente una frescura impecable.*

paso a paso
Flores

La técnica del pastel es la más fresca y espontánea de cuantas existen entre todos los procedimientos pictóricos, siempre y cuando se utilice de manera adecuada; de lo contrario, puede ocurrir que aquello que comenzó con un gran color y soltura, se aboque al fracaso con una simple rociada de fijador al final de la obra. El fijador tiene que utilizarse, pero en el momento adecuado, sobre todo evitando hacer uso del mismo al final del proceso. En este ejercicio se van a representar unas delicadas flores. El concepto que más interesa plasmar es la pureza del color.

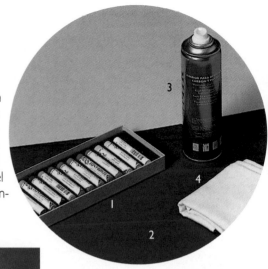

MATERIAL NECESARIO

Pasteles (1), papel de color azul oscuro (2), espray fijador (3) y trapo (4).

1. Como se ha escogido un papel de color muy oscuro, la mejor manera de esquematizar el dibujo, es a partir de un trazo muy luminoso. Por ello se plantea el dibujo con pastel de color blanco. El esbozo de las líneas principales se realiza con un gesto muy rápido, con el cual se plantean únicamente los planos necesarios. sin entrar en ningún tipo de detalle.

PASO A PASO: Flores

2. Se inicia la pintura de la flor superior con una tonalidad de color gris, que aun sobre el fondo oscuro resulta un tono muy luminoso. Éste parece un color acertado para pintar las zonas de sombra de las flores. Con blanco puro se plantean las zonas más brillantes y así ya se tienen situados todos los tonos que se van a desarrollar en las flores. Para aislar la forma definitiva de la flor, se pinta el fondo con azul marino, uno de los colores más bellos y luminosos de la gama de pasteles. Con los dedos se funde algo de blanco sobre el fondo azul; el resultado es un nuevo tono de azul mucho más blanquecino que el anterior.

3. La flor de arriba se pinta con aplicaciones muy directas de color blanco sobre las cuales se mancha con gris para obtener los tonos medios de las sombras. Sin llegar a deshacer por completo la forma del dibujo de los pétalos, se funden los contrastes que ofrecían un corte demasiado brusco. Esta fusión es sumamente fácil. El color del fondo del papel actúa como máximo punto de oscuridad entre los pétalos.

4. En la flor superior se pintan algunos impactos muy directos de color blanco para situar los brillos más luminosos. Unos trazos luminosos de color naranja y amarillo dibujan el centro de la flor. Con verde oscuro y sin entrar en detalles se pinta el tallo de forma rápida . Se aplica una capa de fijador a todo este proceso del cuadro; la distancia tiene que ser la adecuada como para que el espray no se concentre en la superficie del papel. El pastel no se tiene que apelmazar; basta una suave rociada para que el trabajo realizado hasta ahora quede estable frente a nuevas aportaciones y al tacto.

5. *La base anterior se ha fijado con el fin de hacerse estable a las posteriores intervenciones. Todo lo que se realice sobre la capa inferior no la alterará. Por ejemplo, el nuevo gris que se ha pintado en el pétalo situado a la izquierda de la flor superior se puede estirar sobre los colores inferiores sin arrastrarlos en su recorrido. De la misma manera que se pinta esta mancha, se terminan los brillos de los pétalos que lindan con el fondo, así como nuevos aportes anaranjados que enriquecen las sombras.*

Cuando se utilice un fijador de pastel, conviene que éste sea de buena marca. Los fabricantes de calidad se esfuerzan para que sus productos resulten lo más inocuos posible a las técnicas en que son utilizados.

6. *De la misma manera que los tonos de la zona superior han servido de base para las nuevas aportaciones de color, en la flor inferior los grises se han fijado por completo, con lo cual se pueden realizar las nuevas aportaciones de tono, sin que la fusión de estos colores afecte para nada a los colores inferiores. Gracias a que se ha fijado el manchado inicial, el color se puede fundir sin que se produzcan mezclas.*

7. *Se pintan matices de color que se funden en sus contornos con los colores inferiores, de este modo se pueden superponer nuevos grises, así como brillos muy puntuales. Por último, sólo resta pintar algunos impactos de color rojo muy directo y algunas notas amarillas.*

ESQUEMA-RESUMEN

Un color de papel oscuro da pie a un encaje muy luminoso, que en este caso se realiza con pastel de color blanco.

Un azul mucho más brillante que el fondo permite recortar la forma de las flores; los puntos de máxima luminosidad quedan establecidos al pintar los tonos más claros.

Detalles blancos muy luminosos que ponen en realce el perfil de las flores así como los brillos máximos.

Los grises de la flor inferior se pintan sobre las capas de pastel previamente fijadas.

Aprovechar el fondo

EL COLOR DEL PAPEL

Cuando se pretende que el color del papel sea el tono de base en la pintura, es importante no llegar a cubrirlo completamente; el fondo tiene que intervenir de manera activa entre los nuevos colores que se apliquen e incorporarse a la gama utilizada como un color más. El resultado es una atmósfera en la que el color del papel forma parte de la luz del modelo.

El pastel es un medio que permite que los colores de las capas inferiores se puedan entrever a través de los nuevos colores superpuestos, siempre y cuando se aproveche el grano del papel en el trazo que permite la barra. Existen diversas maneras de aprovechar el fondo del papel: sobre un color pintado de manera uniforme, sobre el color limpio del papel, o bien sobre diversos colores que se funden entre sí.

▼ 1. *El color escogido para realizar este trabajo es un papel rojo muy luminoso. Se va a pintar un sencillo tema para comprobar cómo actúa el color original del papel en la atmósfera dominante del mismo. Un óvalo permite representar el plato; sobre éste, con unos círculos se esquematizan las tres manzanas.*

▼ 2. *Se pinta el entorno de las manzanas; de esta manera se aíslan perfectamente sus formas y se definen los colores que las rodean. El plato se pinta con tonos muy claros, aunque las zonas destinadas a los reflejos se dejan intactas. Cuando se interviene sobre un papel de color, tanto los claros como los oscuros aportan un determinado valor a dicho fondo. Al pintar con un color muy luminoso, el color del papel se integra como un tono medio.*

◀ 3. *Para concluir las frutas bastan unos brillos muy puntuales que indican la dirección de la luz. Estos brillos se pintan de manera directa y se pueden suavizar con la yema de los dedos.*

Tema 10: Aprovechar el fondo

EL FONDO DEL CUADRO

El fondo puede decidirse antes de trabajar sobre el motivo principal, de manera que, al pintar el término más importante, la base de color se halle perfectamente definida. Este sistema de trabajo puede ser un procedimiento habitual en ciertas pinturas al pastel, sobre todo cuando en el fondo exista una cierta complejidad, como una textura que puede ser alterada por el objeto principal del cuadro. Preste una especial atención al paso sobre el cual se aplica fijador para hacer este fondo más estable ante las capas de color de los términos principales.

▶ **1.** *En el fondo del papel se pintan aquellas zonas que corresponden a toda la ambientación del conjunto, incluyendo las de las partes ocultas del cuadro. Lo que interesa realmente es tener una base bien definida sobre la cual pintar los elementos de los términos principales. Se podría imaginar que esta primera parte del ejercicio corresponde al decorado de un escenario. Al prescindir de los elementos principales, el cielo, las montañas y el fondo se pueden trabajar con toda comodidad.*

▶ **2.** *Una vez que se ha dado por concluida esta primera parte del ejercicio se fija el trabajo realizado hasta ahora. Se aplica el fijador a una distancia de unos treinta centímetros y, en una capa ligera que no llegue a apelmazar el color sobre el papel. A partir de ahora, el fondo será definitivo y servirá de base para los elementos del primer término.*

▶ **3.** *Se tiene que dejar secar la capa que se ha fijado antes de comenzar a plantear los elementos del primer término del paisaje. Las rectificaciones que se quieran realizar en esta fase del trabajo no van a afectar a las anteriores capas ya que se encuentran fijadas. Se pinta el primer término, con los árboles y demás elementos del terreno. El fondo aparece definido entre las ramas de los árboles.*

ARMONÍA DEL COLOR
CON EL FONDO

Cuando el fondo del papel impone de alguna manera la base del color, se puede partir de éste para desarrollar la gama cromática del cuadro. Por ejemplo, en el ejercicio que se va a desarrollar a continuación, se va a pintar sobre un papel de color tabaco. Todos los colores que se utilizarán en su desarrollo van a pertenecer a la misma gama de colores; de esta manera será posible establecer una bella armonía cromática.

1. El papel de color tabaco resulta ideal para desarrollar cualquier tema y permite conseguir una serie de tonos muy naturales. El esbozo que se realiza sobre este papel se puede plantear con un color suave con el fin de no promover un contraste demasiado acentuado, aunque sí deberá ser lo suficientemente evidente para poder reseguirlo con los colores adecuados.

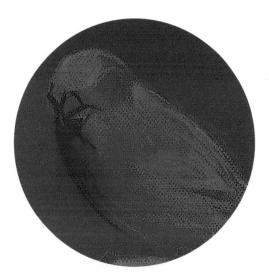

▼ *2. El hecho de utilizar un papel de color tabaco no implica que los tonos utilizados tengan que ser variaciones del mismo color; se pueden emplear todo tipo de colores de la gama cálida, preferentemente tonalidades terrosas.*

3. Los contrastes oscuros y claros se aplican, en última instancia, donde se redibujan las formas y se perfila el pájaro con los oscuros que modelan la forma. Como puede verse, el tono original del papel respira entre todos los colores que se han aplicado sin que exista una falta de armonía. El papel es la base principal de todos los colores y también el nexo de unión en el cromatismo de la atmósfera.

MANCHA Y DIFUMINADO SOBRE EL FONDO DE COLOR

En temas anteriores se ha tratado el color del papel como base del cromatismo que se desarrolla en el cuadro. Esto es una constante a lo largo de la técnica del pastel, que siempre resulta mucho más luminoso y efectivo cuando se usa sobre un papel de color. El ejercicio que se plantea a continuación no debe plantear serias dificultades; consiste en un simple intercambio entre manchas, líneas y reservas propias del color del papel.

▶ *1. El esquema inicial se dibuja con un pastel color azul muy claro para establecer la forma de las flores, que tienen que quedar en reserva. El color del papel será decisivo en los tonos finales del cuadro y también en las primeras manchas que se hagan sobre éste. El color del papel va a corresponder, como luminosos puntos azules, al color definitivo de algunas flores.*

2. El entorno de las flores se soluciona con colores muy luminosos que se presionan lo suficiente como para poder cubrir el grano del papel en algunas zonas del cuadro. Con carmín y rosa se solucionan las flores que corresponden a estos colores. Las flores azules se tienen que respetar en todo momento; a estas flores corresponde el propio color del papel.

▶ *3. Los brillos sobre las flores azules se realizan con pequeños toques de pastel de color azul muy claro. En algunas zonas se llega a fundir este tono azulado de manera que se integra perfectamente con el fondo de un color azul más oscuro.*

paso a paso
Paisaje

Cuando se trata de aprovechar el color de fondo como uno más del conjunto, éste se integra entre los colores utilizados y pasa a formar parte de la gama. Ésta es precisamente la propuesta que se va a realizar a continuación. El ejercicio consiste en la realización de un paisaje con una gama muy restringida. La finalidad principal reside en hacer que el color de base respire entre los pasteles utilizados y funcione como un tono más de las gamas desarrolladas. Este ejercicio se pinta sobre cartón, por lo que la textura es muy diferente a la del papel.

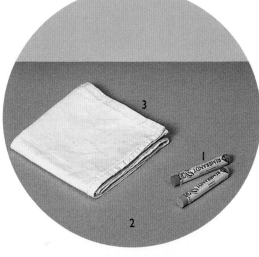

MATERIAL NECESARIO

Pasteles (1), cartón gris (2) y trapo (3).

1. *Se comienza con el esquema de lo que será el paisaje; estas primeras líneas no deben tener una función descriptiva sino únicamente de situación de las diferentes masas. Se dibuja con las diversas opciones que ofrece el pastel plano, tanto transversal como longitudinal al trazo. Como se puede apreciar, las copas de los árboles se esquematizan con suaves trazados con la barra transversal, mientras que en la parte inferior se dibujan líneas muy densas realizadas con la barra longitudinal a su trazo.*

2. *El pastel se adhiere mucho más sobre el cartón que sobre el papel. Esta capa de color puede llegar a sellar el poro, ya de por sí cerrado, que presenta esta superficie. Se pinta con pastel de color naranja, con la barra plana entre los dedos, sin cubrir completamente la superficie del cartón; el color del fondo resalta a través de la textura del trazo.*

3. *Al pintar con el color naranja sobre el azul, se arrastra parte del mismo y se crea un tono ligeramente verdoso, debido a la mezcla. Estos dos serán los únicos pasteles que se van a utilizar; el color azul va a ser el responsable de los contrastes que definen cada una de las masas del cuadro. El naranja permitirá, además de aportar atmósfera al conjunto, pisar el color azul y crear nuevas tonalidades producto de la fusión entre ambos colores.*

El esquema con la barra plana permite un dibujo seguro y muy sintético.

4. *Como se puede apreciar, es importante mantener la presencia del color del soporte a pesar de las diferentes aplicaciones de las partes. Los contrastes más fuertes, realizados con el color azul, hacen que estos pequeños huecos cobren importancia en cuanto a la luminosidad del conjunto. En la derecha del cuadro se pinta con la presión necesaria como para que el azul sea denso y opaco. En el árbol central se realizan de manera alternativa sucesivos impactos de los dos colores que se mezclan suavemente con los dedos, pero sin restar completamente la presencia del trazo.*

5. *Se suceden las pequeñas mezclas y fusiones de color en los matorrales del fondo. Para aportar el volumen adecuado a la textura se realizan unos contrastes muy directos con azul. Se pintan los troncos en contraluz, con lo cual tanto el color del soporte como el naranja del cielo adquieren mayor presencia. Observe cómo los tonos se funden y cómo las superposiciones dan lugar a mezclas. En algunas zonas el trazo azul adquiere una gran densidad; en otras apenas acaricia el cartón, con lo cual el color naranja y el fondo continúan respirando a través de los trazos nuevos.*

El cartón tiene un poro muy cerrado por lo que, si se utiliza como soporte, el trazo tiende a resbalar.

6. *En este paso, el protagonismo lo toman los impactos directos de color, tanto azul como naranja. El trabajo se centra en el primer término, correspondiente al terreno. Primero se trazan los contrastes con azul; sobre éste y también sobre las zonas que se fusionaron antes, se mancha directamente con toques de naranja. Sobre los oscuros de la derecha se realiza un trazado naranja muy suave. Esta aplicación de naranja se compensa con el excesivo contraste que plantea el azul.*

7. *Para concluir este ejercicio de paisaje, se funden ligeramente los tonos del terreno y se vuelven a pintar algunos impactos directos de naranja. Por último, se pinta con azul la gran masa de vegetación de la derecha; de este modo se aumenta su tamaño. Con ello se puede dar por concluido el paisaje. Observe cómo el color del fondo respira entre los tonos aportados y permite un acabado fresco y espontáneo.*

ESQUEMA-RESUMEN

Todo el soporte se pinta con naranja; la barra plana entre los dedos permite un trazo abierto a través del cual se observa el color del fondo del cartón.

Al pintar con naranja sobre el azul, se arrastra parte del color inferior provocándose mezclas y cambios de tono.

Los contrastes se pintan con azul; este color permite representar perfectamente el efecto de contraluz.

Los impactos directos de naranja añaden luminosidad al terreno y hacen que los tonos contrasten mucho más.

Animales

ESQUEMAS Y APUNTES

El pastel es un medio pictórico ideal para realizar todo tipo de apuntes, sobre todo para dibujar y pintar animales, tanto por las afinidades que presenta con las técnicas de dibujo, como por la capacidad de representar todo tipo de manchas o trazos, tan útiles en el resumen de las formas. En este tema se va a practicar el apunte y la pintura de animales con los meros recursos que ofrece la barra de pastel. El secreto de una buena pintura no reside tanto en el trazo, como en lo que se puede hacer con él.

Los animales son uno de los temas más atractivos que se pueden representar, sea cual sea el procedimiento de dibujo o pintura. Con el pastel se pueden lograr notables resultados, ya que la mancha difuminada, unida al trazo, permite todo tipo de texturas de piel, pelo o plumas. En uno de los temas anteriores ya se ha pintado un pájaro y en otro un caballo. Se aconseja volver a repasar estos procesos antes de adentrarse en otros ejemplos más complejos. Como se podrá estudiar en los ejemplos que se proponen en este tema, los animales, al igual que todos los elementos de la naturaleza, se pueden esquematizar a partir de formas sintéticas muy simples.

▶ **2.** *Se perfilan las zonas más características y se crean los volúmenes mediante tonos oscuros. Antes de atacar la textura definitiva del pelo, tiene que especificarse la dirección del foco de luz; esto se puede realizar con un aumento de los oscuros en las partes de sombra, o con tonalidades más claras en las zonas de luz.*

▼ *1. La barra plana permite una gran variedad de trazos. Para pintar cierto tipo de animales, lo más acertado es comenzar por realizar encajes y manchas a partir de la barra plana. Con un rápido gesto se puede insinuar la forma de cualquier animal. La primera cuestión que se debe considerar en el dibujo y la pintura de animales es el trazo que describe su espalda y las proporciones entre sus formas. Este apunte se ha esquematizado por completo con la barra de pastel plana entre los dedos.*

◀

3. El apunte se puede concluir con el perfilado de algunas líneas importantes; no es necesario dibujar por completo el perfil del animal ya que algunas zonas pueden quedar perfectamente insinuadas por restos del trazo inicial.

COLORISMO

Nada mejor que la pintura de animales para desarrollar una técnica completamente colorista. En este ejercicio se va a plantear dicho procedimiento cromático, con el cual el color adquiere el protagonismo principal. Para comenzar, es necesario recordar que el colorismo es la técnica pictórica que traduce las sombras por notas de colores puros y no por tonos o degradados. En una técnica como el pastel, en la cual el color se aplica sin mezcla, el colorismo es una de las opciones más acertadas.

▶ 1. *Para la pintura colorista, el papel tiene una importancia relevante, ya que se puede partir de entrada de un color complementario. Como base, se ha escogido aquí un papel de un color que destaque fuertemente con los que se van a utilizar. Los primeros trazos corresponden al encaje. La síntesis de las formas es lo primero que se tiene que abordar, resumiendo la anatomía del animal a base de elementos geométricos puros como en este ejemplo, donde el esquema está construido con formas ovaladas. En el desarrollo del encaje no se tiene que utilizar un color muy diferente al del papel para que los errores y sus correcciones no destaquen en exceso.*

▶ 2. *Una vez que el encaje se da por concluido, se refuerzan las líneas principales y se da forma al dibujo definitivo para poder intervenir con el color. En este paso se puede utilizar la barra de pastel plana o de punta, según se quiera trazar una zona de mancha o un trazo que perfile la forma. Es importante trabajar a partir de este estadio con notas de color que posteriormente albergarán trazos de gran luminosidad y contraste cromático.*

Practique con el color; es la única manera de perder el miedo. Realizar pruebas en un papel idéntico al que se utiliza da muy buenos resultados.

▶ 3. *Sobre la base bien definida y los colores insinuados se realizan trazos y manchas mucho más acentuados. Los colores más luminosos se sitúan frente a los más oscuros, de manera que se potencien mediante la complementariedad de unos con otros. En vez de realizar cambios tonales de un mismo color o degradados, para solucionar los cambios de plano y la textura de las plumas, se plantean otros colores diferentes cargados de luminosidad. Es muy importante que los colores inferiores respiren entre los nuevos trazos.*

LÍNEA Y MANCHA

La combinación de recursos es la clave para pintar animales. En apartados anteriores se han visto dos aspectos diferentes de la interpretación en animales: el apunte y el trabajo con el color. Como se podrá estudiar en este punto, la pintura no debe residir únicamente en un lenguaje de línea o de mancha; en la combinación de todos los recursos reside la verdadera solución plástica para representar formas y texturas.

◀

1. *En el planteamiento inicial se ha podido ver cómo con el trazo plano se puede plantear con cierta facilidad la forma de un animal. Ésta será la estructura sobre la cual trabajar. En este caso no interesa en sí el carácter del trazo, sino el perfil de las formas,. Una vez que se ha realizado el esquema, se funde con los dedos hasta integrarlo con el fondo, pero sin que se pierda el dibujo.*

▼ 2. *Una mancha puede ser una base perfecta para pintar animales. La insinuación de las formas a través de la mancha despierta en muchas ocasiones la imaginación y ayuda a asociar el trazo con la imagen que genera el modelo. Una vez que la mancha está planteada, se puede reforzar con un trazo directo; dicho trazo se integra en algunas zonas sobre el fondo, sin permitir que se pierda el perfil de la forma original.*

◀

3. *El acabado de este ejercicio se soluciona con la búsqueda del equilibrio entre el trazo y la mancha. Unas zonas se dejan insinuadas, alternando el trazo completamente definido con su contraposición difuminada y sin perfilar.*

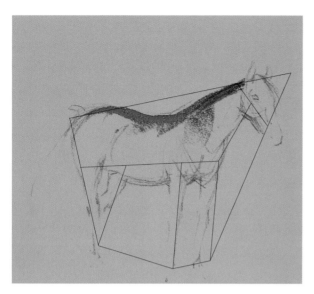

ESTUDIO COMPARADO DE DOS ANIMALES

É ste pretende ser un ejercicio para aprender a construir las estructuras de diferentes animales. La comparación es siempre una buena herramienta para aprender a pintar, sobre todo cuando ésta se realiza con afán crítico. Lo primero que debe llamar la atención en estos dos estudios, es la relación que existe entre la cabeza, el tronco y las patas de cada animal. Los esquemas iniciales marcan importantes diferencias en las proporciones.

▼ *En este ejemplo, desarrollado de la misma manera que se ha mostrado en las páginas anteriores, se puede observar cómo se construye la estructura de este caballo. Con el trazo plano se ha realizado la línea del cuello, que resulta larga y sinuosa y se une perfectamente con la espalda y la grupa.*

He aquí los dos animales totalmente acabados. Su observación evidencia la notable cantidad de variaciones existentes entre ellos tanto en las patas como en las proporciones entre las partes de sus cuerpos. Es importante tener en cuenta los puntos de flexión de las patas; cada especie animal posee una complexión diferente.
▲

Esta vaca se realiza según el mismo patrón anterior, aunque, como se puede apreciar, el cuello guarda una proporción diferente con respecto al primero. El tamaño y la forma de las cabezas también presentan importantes diferencias. En este estadio ya se pueden apreciar las más evidentes similitudes y proporciones contrastadas entre los dos animales.
▲

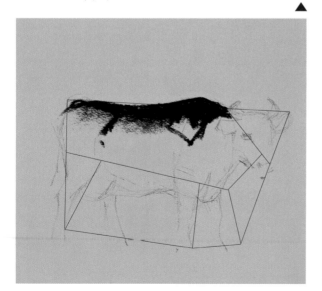

paso a paso
Caballo pastando

La pintura de animales es uno de los temas más complejos que se pueden abordar, no sólo con el pastel, sino con cualquier otro procedimiento pictórico. Sin embargo, el pastel es muy adecuado para el estudio del animal, ya que su aplicación directa se acerca, en cuanto a técnica, al dibujo, cuestión que permite un trabajo muy estructurado. En este ejercicio se propone la pintura de este bello animal. Observe atentamente el proceso desde el primer paso. Si bien guarda mayor complejidad que los ejercicios anteriores, su desarrollo no comportará especial dificultad si la estructura se realiza de manera adecuada.

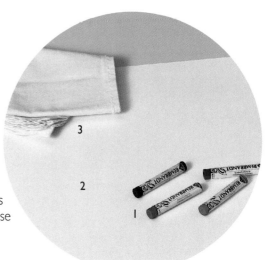

MATERIAL NECESARIO
Pasteles (1), papel blanco (2) y trapo (3).

1. *Conviene que el aficionado, si no tiene la suficiente experiencia, plantee sobre el papel un esquema lo más sencillo posible para, de esta manera, desarrollar una estructura que, a pesar de su simplicidad, permita trazar con garantía un trabajo seguro y acertado. Para tener una buena guía se realiza previamente el esquema del modelo. Como se puede ver, podemos encajar perfectamente el caballo dentro formas geométricas muy elementales; las divisiones de estas formas permiten a su vez, subdividir las formas principales.*

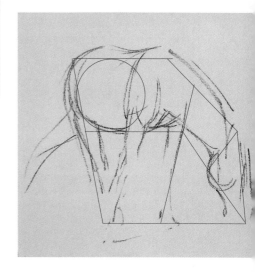

PASO A PASO: Caballo pastando

2. *A partir del esquema previo se puede desarrollar un dibujo perfectamente definido, con el cual se representa a través de la línea cada una de las partes de la anatomía del animal, así como sus rasgos. Con la barra plana entre los dedos se comienza a pintar el cuerpo del caballo. El trazo curvo permite representar rápidamente el volumen. Con estos trazos se definen ya algunas zonas de la anatomía como la grupa o el músculo de la pata delantera.*

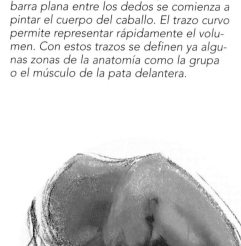

3. *Para realizar el manchado del caballo es importante no utilizar un único color. Hay que pintar pensando en los tonos que se van a aplicar después, y tener en cuenta que las fusiones entre colores permiten una transición muy modelada entre los tonos. Se inició con un tono de color sanguina; ahora el color que se pinta es mucho más luminoso y anaranjado. Sobre los tonos aplicados se pintan los oscuros máximos con suaves trazos de color negro. Con la yema de los dedos se funden estos tonos, buscando de paso el modelado de las formas.*

4. *Si se observa cómo está situado el animal, se pueden apreciar diferencias en la situación de los puntos de luz en los cuartos traseros. En esta zona se pinta con un tono oscuro de la misma gama que se utiliza en todo el caballo. Se oscurece la parte baja de la panza, con lo cual los brillos se hacen mucho más evidentes por efecto de los contrastes simultáneos. Para realizar el tono más claro de la rodilla del caballo, se arrastra parte del color hacia esta zona con el fin de agrisarla ligeramente.*

5. *Con pastel negro se pintan los contrastes más densos que son, en definitiva, los que acaban de perfilar las formas del caballo. Con negro se pintan las crines, los oscuros de las patas y la cola. El modelado de la panza del caballo se contrasta con la yema de los dedos manchados de pastel negro. Se inicia después la pintura de los puntos más luminosos; para ello se utiliza un color gris claro.*

En cualquier trabajo al pastel, la primera acción debe ir destinada a trabajar formas y zonas de color. Los contrastes y los detalles se dejan para el final.

6. *Se continúa pintando con negro las zonas que requieren un mayor contraste y se funden los tonos recién aplicados con las capas inferiores. La parte inferior de las patas se realiza con un fundido de negro hacia el tono del papel. Algunas zonas, como la parte posterior, se vuelven a pintar con toques directos de color tierra roja.*

7. El trabajo que resta se centra básicamente en la cabeza del caballo, que se realiza con la misma técnica de modelado, contraste y fusión que el resto del cuerpo, aunque en esta zona conviene ser especialmente cuidadoso en la aportación de sombras.

Los oscuros se pintan en última instancia y se funden suavemente con los dedos. Por último, se pinta el tono claro de la boca que se funde sobre los tonos anteriores.
Para dar más protagonismo al detalle se evitará en todo momento que desaparezca por completo el carácter del trazo.

ESQUEMA-RESUMEN

El esquema debe desarrollar las formas definitivas a partir de figuras geométricas simples.

Las primeras intervenciones con el color se realizan en la panza del animal; el sentido del trazo facilita el modelado de las formas.

Los puntos de luz en las patas se logran con un suave arrastre del dedo sobre el blanco del papel.

Con pastel negro se pinta directamente en las zonas oscuras del animal, así como las patas.

Cielos

LOS COLORES DEL CIELO

El color del cielo no es único; de hecho, cualquier color del arco iris puede estar representado en el cielo en alguna ocasión. La atmósfera, el momento del día y el estado de la meteorología son aspectos determinantes del color del cielo. En estas páginas se muestran algunas notas de color a partir de las cuales se puede desarrollar una gran variedad de cielos.

El cielo es uno de los elementos más importantes del paisaje, si bien es, de hecho, un tema independiente que se puede desarrollar acompañado o no de otros elementos. Se van a plantear aquí cielos en diferentes horas del día y en condiciones climatológicas variadas. **La pintura de cielos es muy creativa, y se presta a que los colores al pastel puedan poner de manifiesto las múltiples posibilidades de esta técnica.**

▼ I. *El planteamiento de un cielo puede basarse en varios colores que formen un degradado. Para empezar, es conveniente ordenar dichos colores de manera natural, exagerando si cabe aquellos que presenta la realidad. Aunque en muchas ocasiones esta exageración no es tal, ya que la naturaleza puede desbordar la paleta del pintor más colorista. Los colores se tienen que plantear en principio sin fundir, solapando unos tonos sobre otros.*

2. Con los dedos se funde cada una de las zonas del cielo; el orden del fundido es importante, ya que algunas zonas se tienen que mantener fundidas pero limpias. En este ejemplo se ha comenzado a fundir desde la zona superior; la unión entre colores se realizará con delicadeza para romper la diferencia entre ellos. ▼

3. *Una vez que se ha realizado el fundido entre los tonos, se pueden atacar algunos detalles directos con las barras de pastel de punta; estas puntualizaciones permiten acentuar brillos y diferentes luminosidades en el cielo.* ◄

▶ **1.** *Para iniciar un cielo despejado se puede comenzar por plantear el tono superior, que es casi siempre el más oscuro y puro. La razón de esto es la capa atmosférica que aumenta a medida que se observa el cielo hacia el horizonte. Bajo esta primera banda de color se sitúan otras, de manera que se logre un degradado de tonos. Es importante que el color situado justo por encima de la línea del horizonte destaque por su luminosidad; es en este punto donde la capa de atmósfera adquiere mayor espesor y resta luminosidad a los colores del cielo.*

MANCHADO DE CIELOS DESPEJADOS. LA LÍNEA DEL HORIZONTE

La pintura de cielos más sencilla de efectuar es la que hace referencia a los cielos despejados o con pocas nubes. En estos casos el trazado del color resulta especialmente delicado, ya que los cielos, como se ha visto en el ejercicio anterior, se pueden enriquecer con numerosos matices. En esta página se plantea la realización de un cielo despejado y su cambio cromático en la línea del horizonte, una sencilla práctica que sin duda permitirá solucionar un sinfín de situaciones en el paisaje.

▶ **2.** *Basta pasar los dedos con suavidad sobre las zonas trazadas del cielo para lograr que el trazado se convierta en una masa de color homogénea que, a su vez, se una con los otros colores que se han manchado sobre el cuadro. Se debe tener un especial cuidado al pasar de un tono a otro, pues es fácil que uno de los colores claros o luminosos se contamine con uno de los oscuros situados en las zonas superiores.*

▶ **3.** *Los últimos matices entre los tonos permiten aportar notas luminosas en el conjunto de los degradados. A partir de esta base de color se pueden realizar numerosas modificaciones como la que se aprecia en este último paso en el que se ha superpuesto alguna nube. Otra cuestión importante es el tratamiento que se hace de los blancos; como se puede apreciar, no se aplica blanco puro, excepto en aquellas zonas absolutamente luminosas.*

LA HORA DEL DÍA

Ya se ha apuntado que los cielos varían según la luminosidad horaria; el cambio es continuo. En este ejercicio se propone realizar tres cielos diferentes correspondientes a distintas franjas horarias a partir de un solo paisaje. El primero al amanecer, cuando el horizonte se tiñe de tonalidades rojizas; el segundo corresponde a un luminoso cielo de mediodía con matices de amarillo en el horizonte; por último, se va a pintar un cielo de atardecer, casi nocturno, en el cual los tonos azules se vuelven malvas y profundos.

◄

1. El cielo del amanecer y el de los primeros momentos del ocaso pueden ser idénticos; el sol en el horizonte satura de tonalidades rosáceas el color de la atmósfera y logra colores casi irreales en las zonas más bajas. Con el pastel es sencillo lograr estas aportaciones de luz y color, incluso después de haber planteado los colores originales, aunque se debe tener un especial cuidado al fundir los tonos para que no se ensucien mutuamente.

◄

2. Al mediodía el cielo se encuentra en su máximo apogeo de luz; los azules se saturan y se tornan puros. En el horizonte, según el día, se pueden observar cambios de tono; en los días muy calurosos, según la zona, se observa polvo en suspensión que aporta un tono rojizo o amarillento.

◄

3. Un anochecer siempre presenta tonalidades muy contrastadas; por un lado, los colores propios de la noche, azules profundos o violetas; por otro, los restos de luz de poniente; estos últimos rayos de sol se traducen mediante luminosos trazos de pastel que tiñen de rosas y naranjas algunas franjas del escenario celeste. En este caso también se debe tener un cuidado especial en la fusión de los tonos, ya que interesa mantener con la máxima frescura la vitalidad de los colores más luminosos. Estos tonos cargados de luz se pintan, funden y superponen en los últimos pasos del proceso.

NUBES

Las nubes pueden ser de muchas formas, colores y texturas. A pesar de lo que pueda parecer, dentro de sus caprichosas formas, no se condensan al azar, sino que se rigen por condiciones que las ordenan en cúmulos, cirros o estratos. La altura de las nubes, su densidad y la hora del día permiten más o menos el paso de la luz del sol; así se iluminan unas zonas mientras las otras se muestran oscuras. En este ejercicio se van a pintar unas nubes de tormenta. Preste atención a la fusión de los tonos y a los puntos de máximo contraste tonal.

▶ *1. La elección del papel es una importante cuestión si se pretende aprovechar su color. En este caso, un tono grisáceo ayudará a la representación de estas nubes tormentosas. En este ejercicio no se va a permitir que se vea ningún resquicio de cielo, por lo que todo el trabajo va a residir en la elaboración de las nubes. El primer paso es dibujar las formas más evidentes de los nubarrones; de esta manera se podrán prever las principales aportaciones de claros y oscuros.*

▶ *2. Se pintan los tonos más luminosos, dejando los grises medios sin manchar, ya que se quiere aprovechar el color del papel. Estos tonos pueden ser de color blanco marfil, blanco puro o incluso amarillo de Nápoles. Se pintan también los tonos más oscuros que deben corresponder a las zonas de sombra. Como se puede ver, el color del papel se integra perfectamente en las nubes, aunque todavía no se han fundido los tonos aportados. El volumen está perfectamente apuntado gracias a los principales puntos de luz.*

▶ *3. Las tonalidades oscuras y las claras se funden sobre el papel con ayuda de los dedos; de esta manera se pueden modelar las formas de las nubes. Dicho fundido se realiza con movimientos curvos, que integran sobre el color del papel los tonos que lo requieran. Una vez que se han fundido todos los tonos, se pintan aportes directos que perfilan y recortan algunas zonas, mientras que en otras permiten brillos muy puntuales.*

paso a paso
Cielo con nubes rojizas

La realización de cielos puede ser uno de los trabajos más agradecidos y enriquecedores que se pueden realizar con pastel. No es necesario contar con un dibujo muy elaborado como punto de partida. Para la realización de cierto tipo de cielos, esto exime del costoso esfuerzo que supone el dibujo en muchos temas pictóricos. Además, la realización de cielos proporciona espectaculares resultados cuando se escoge el momento del día adecuado. El ejemplo que se propone es una buena muestra de ello.

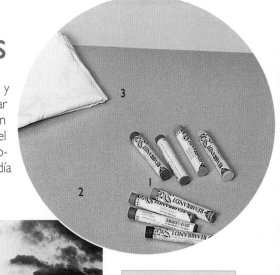

MATERIAL NECESARIO

Pasteles (1), papel de color gris (2) y trapo (3).

1. *El dibujo inicial no reviste tanta importancia como en otros temas pictóricos; sin embargo, servirá de guía perfecta para elaborar los diferentes planos del cuadro y situar los colores de manera adecuada. Estos trazos se plantean con el pastel de punta, con un trazo limpio que permita diferenciar el perfil del terreno de la forma de las nubes. Mientras el terreno se define con un dibujo apretado y oscuro, las nubes se plantean de manera mucho más sinuosa.*

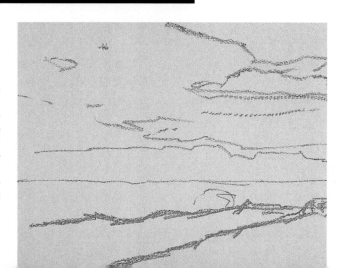

2. *Se comienza a pintar el tono más lumino-so del cielo, donde las nubes todavía presentan los reflejos del sol. Estos primeros colores combinan diferentes tonalidades amarillentas entre las que se incluye algún tono anaranjado en la línea del horizonte. Tras realizar el trazado inicial, se pasa la yema de los dedos, con lo cual se consigue desdibujar el carácter directo del trazo.*

3. *Sobre la franja anaranjada del horizonte se traza una nueva banda de color rosa muy luminoso; con violeta claro se pinta la parte inferior de las nubes y el tono se enriquece con algunas notas de color azul. Preste atención de nuevo a la franja inferior de las nubes. Sobre la franja rosácea se traza una fina línea de color azul y con los dedos se funde hasta lograr una tonalidad sucia pero muy localizada.*

4. *Toda la parte inferior correspondiente a las montañas se pinta con color negro muy directo, aunque la zona inferior de este plano se degrada y funde con el fondo, mezclándolo con un poco de azul de Prusia. En el cielo también se interviene con tonos oscuros: negro en la esquina superior derecha y azul en los huecos dejados por las manchas amarillas. Algunas partes del cielo se funden, promoviendo que se ensucien de manera controlada determinadas zonas muy puntuales.*

5. *Se pintan los grises más densos de la bóveda celeste. Los contrastes con los tonos más luminosos se ponen en realce gracias a la aportación en dichas zonas de colores mucho más claros que lindan con los oscuros recién pintados. Estos tonos de luz no son blancos, sino variaciones muy claras de amarillo de Nápoles. Se pinta el sol poniente con diversas manchas de color amarillo, amarillo de Nápoles y naranja. El primer término del terreno se pinta con un tono muy denso de negro, que contrasta con el degradado que se realizó anteriormente.*

6. *Sobre las nubes amarillentas se vuelve a pintar con tonos mucho más luminosos que se superponen a los oscuros del conjunto. Con pastel negro se oscurecen algunas zonas previamente pintadas con tonos azules. La esquina inferior derecha de la zona correspondiente al terreno se pinta con una tonalidad azul y los tonos de negro y azul se funden. La base de color planteada hasta ahora es perfecta para continuar con diferentes detalles de luminosidad, que se aplican en forma de impactos directos, como trazos lineales o como notas de fusión sobre los tonos inferiores.*

7. Con una tonalidad de color hueso se acaban de dar los últimos toques muy directos en los puntos de máxima luminosidad del cielo. En la izquierda todavía se suavizan algunas zonas donde se incorpora un color asalmonado muy luminoso. Sólo resta pintar la parte correspondiente al sol y la zona que lo rodea. Llegados a esta fase, podemos dar por concluido este impresionante cielo de atardecer.

ESQUEMA-RESUMEN

Los primeros colores que se aplican son los más luminosos, para poder superponer sobre éstos los tonos más oscuros y contrastados.

La franja correspondiente al horizonte se pinta con naranja y tonalidades rosáceas que se funden sobre la primera.

Los impactos de luz se pintan en última instancia; algunas zonas no se funden sino que se dejan frescas y directas.

Los oscuros más radicales se pintan de color negro, que contrasta fuertemente con las zonas más coloristas del cielo.

13

Árboles

LA ESTRUCTURA DE LOS ÁRBOLES

Es importante conocer la estructura interna de los objetos antes de comenzar a interpretarlos sobre el papel. Como se ha podido estudiar hasta ahora, todos los objetos y formas de la naturaleza pueden representarse a partir de otros elementos más sencillos y formas geométricas. Un árbol también puede entenderse de este modo; la síntesis de sus formas se hace mucho más evidente que en otros muchos objetos de la naturaleza.

Los árboles son elementos a menudo indispensables en el paisaje. Unas veces son cuestiones puntuales que requieren una gran elaboración y un cuidadoso detalle; otras, se pueden explicar con simples manchas de color verde que se funden sobre el fondo. En este tema se van a desarrollar algunos ejemplos que servirán de modelo para posteriores ejercicios. Las técnicas empleadas para realizar estos ejercicios van a permitir pintar todo tipo de árboles en cualquier paisaje.

▼ La forma triangular facilita la representación de árboles de estructura cónica como los abetos o los cipreses. Antes de pintar este árbol, se ha esquematizado su forma para una mejor comprensión de la misma. Es importante estudiar los puntos de luz de cada una de las zonas del árbol. Son las sombras las que permiten la correcta situación de los diferentes tonos de color verde.

▼ Un árbol de cierta complejidad se puede alojar en un esquema muy simple, a partir del cual, una reestructuración del mismo puede ayudar a comprender los ritmos internos de las ramas. Como se observa en esta imagen, el árbol parte de una forma rectangular, que se ha dividido en diversas secciones hasta permitir la descripción de sus ramas y tronco con formas elementales.

▼ Una vez que se ha logrado entender la forma general del árbol, se puede dibujar y pintar de manera definitiva. Primero, el contorno del dibujo; después en su interior, cada una de las manchas y colores que formulan su textura.

MANCHADO DEL ÁRBOL

En todo procedimiento pictórico el manchado adquiere una importancia fundamental. Después del esbozo, la mancha del color es lo que ayuda a guiar todo el proceso del cuadro. En este ejercicio se puede apreciar con detalle cómo se realiza un correcto manchado para que los contrastes encuentren su apoyo en los tonos claros y oscuros. El carácter directo del trazo de pastel permite una gran variedad de opciones: la mancha, donde se puede prever cada una de las zonas de luz o sombra, así como la textura definitiva en las aportaciones finales.

▶ 1. *Después del encaje, se inicia el manchado del árbol. Como el pastel se aplica en forma de trazo, su pintura adquiere la forma de línea plana, recta, curva o tan amplia como permita el ancho de la barra. De esta manera los primeros trazos adquieren siempre un marcado carácter de dibujo. Las líneas que inician el manchado del árbol tienen como principal función plantear sus volúmenes, porque un árbol, a menos que se trate de un seto perfectamente podado, tiene una gran variedad de formas, cada una con su luz y su sombra.*

▶ 2. *Planteados los primeros oscuros, se pintan las zonas más luminosas. En este caso, como el papel es de color, el blanco destaca con gran fuerza. El manchado del árbol se continúa con la yema de los dedos, restando presencia al trazo y uniendo algunas zonas mientras que otras se dejan con el trazo visible. Es importante considerar con atención este punto; no todo el árbol se tiene que difuminar.*

◀

3. *Tras el manchado con la yema de los dedos, sobreviene el acabado del árbol, que se realiza con nuevas aportaciones de tonos; unos directos y espontáneos que se aplican sin ningún difuminado, y otros que se funden sin llegar a mezclarse por completo con los colores inferiores.*

SOLUCIÓN DE UN ÁRBOL

Como se habrá podido apreciar, el tratamiento del pastel puede albergar un sinfín de posibilidades; desde el manchado a su acabado, el árbol puede pasar por una gran variedad de procesos que siempre se encuentran en torno al fundido y al trazo directo.

En esta propuesta se va a realizar un doble trabajo con pastel; se va comenzar por un trabajo fresco y directo a partir del cual se estudiará la manera de solucionar la textura del árbol.

1. Se utiliza un papel de color verdoso; muchas zonas de este papel se integrarán perfectamente en la pintura, sobre todo en las partes que hacen referencia a este tono de luminosidad. El primer trazado que se realiza es completamente dibujístico; aquí la mancha no tiene cabida, ni tan sólo el emborronado del color. Sobre el dibujo inicial se realizan trazos en los que intervienen otros colores, pero en todo momento se mantiene el carácter fresco y espontáneo; éstos trazos no son empastados ni fundidos; la pintura es completamente gestual.

▼ *2. Este primer paso abarca únicamente el trabajo directo y de dibujo del pastel; de este modo se puede rellenar toda su superficie y también el espacio que lo rodea. Al pintar el entorno del árbol con este trazado luminoso, el tronco queda perfectamente recortado y en la zona superior el color del papel se integra perfectamente entre los tonos de la copa.*

▼ *3. Se emborronan las zonas que van a servir de base a otras capas de color. Sobre estas zonas fundidas se pinta con colores más oscuros que crean fuertes contrastes con respecto a los demás. Se vuelven a fundir algunas zonas oscuras, sobre las cuales se pintan colores luminosos. El resto del trabajo alterna los trazos directos con la fusión de las manchas.*

Tema 13: Árboles

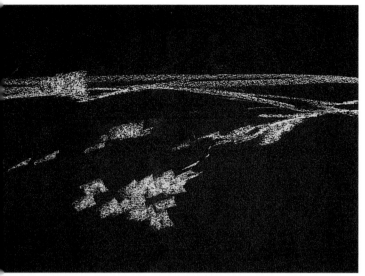

El paisaje a menudo se encuentra recubierto de vegetación que no está formada precisamente por árboles. Dicha vegetación puede estar constituida por pequeños arbustos o macizos de hierbas que se representan con pastel combinando las dos técnicas básicas del medio.

El detalle a menudo no se representa, sino que se insinúa mediante suaves difuminados o degradados del tono combinados con trazos directos. En estos paisajes de vegetación lo que importa realmente es el efecto de los claros y los oscuros.

▶ **1.** *Al plantear una amplia zona de vegetación, en realidad no se aprecia cada uno de los arbustos, sino una masa de tonalidades verdes con alguna diferencia de tono para los cambios de plano o las sombras profundas de cada zona. El desarrollo del conjunto es importante, se debe tratar como un solo objeto; así que el esquema se realiza de manera lineal, y debe ocupar con el trazo el motivo general.*

▶ **2.** *Se mancha el conjunto por zonas, utilizando diversos tonos verdes según el grado de luminosidad que corresponda, sin especificar de manera clara unos límites muy bien definidos. El trazado es lo suficiente denso como para dejar en el papel una importante cantidad de pastel. Estos empastes de pintura tienen como fin ser fundidos con los dedos, con los que se da forma a los diferentes volúmenes de la vegetación. Conforme dicha vegetación se encuentra más lejos del espectador, los contrastes de árboles y arbustos tienden a unificarse en un solo tono.*

> El color del papel debe respirar en todo momento a través de los trazos, para transmitir la luminosidad de la atmósfera.

▶ **3.** *Una vez que se funden los tonos, se interviene de nuevo con colores directos que permiten una pintura más contrastada y precisa de las zonas de sombra. También se pintan trazos sueltos en los puntos donde incide directamente la luz.*

Árboles y vegetación

La representación de temas en los que la vegetación figura como protagonista, es siempre una constante en el pintor de paisajes. Al principio se puede pensar que toda la vegetación es del mismo color, pero con un poco de insistencia y práctica, el aficionado aprenderá fácilmente a diferenciar la gran variedad de matices que componen un rincón como éste que se muestra como modelo. No existe una norma única para pintar vegetación, aunque si algo se debe tener en cuenta es la capacidad del pastel de ser fundido o superpuesto, según interese obtener distintos tonos en los árboles y arbustos. Preste una especial atención a los contrastes que se establecen en el paisaje, a partir de la parte inferior de la ribera y la zona superior de los árboles.

MATERIAL NECESARIO

*Pasteles (1),
papel de color (2)
y trapo (3).*

1. *El dibujo es de mucha importancia, aunque debe ser de una gran sencillez. Primero se traza el límite del agua, la parte correspondiente a la orilla; sobre esta línea horizontal se esboza toda la zona correspondiente a la vegetación, pero sólo el perfil de los árboles y la montaña del fondo. En la parte correspondiente al agua se perfila la forma de la orilla del primer término.*

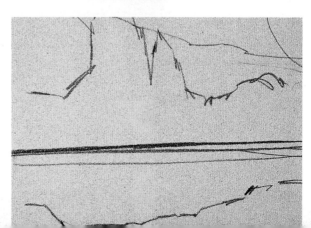

2. Con el pastel no se tienen que plantear mezclas directas sobre el papel, sino que cada tono, sea oscuro o claro, se pinta con un color puro de la caja de pasteles. Verde muy luminoso para la zona más clara de los árboles, verde algo más oscuro para las sombras. Los oscuros más densos se pintan con negro ligeramente mezclado con los tonos inferiores. En el primer término se pinta con blanco, de manera que el color del papel contrasta y se integra como un color más. El cielo se pinta con un color blanquecino, algo manchado con amarillo de Nápoles.

3. Los colores se funden en sus zonas de contacto sin que se mezclen entre sí. Algunos colores actúan como tonos de base para otros que se pintarán más adelante; por ejemplo, la tonalidad violeta encima de la orilla o el azul cobalto de la derecha. La única zona del cuadro donde los colores se mezclan es en la derecha, donde se requiere un color muy sucio. En esta zona se pinta con siena, verde y negro. Se mezcla ligeramente con los dedos para fundir por completo el perfil del color.

4. Se superponen los colores en los luminosos árboles de la izquierda y se deja que los tonos del fondo respiren a través de los trazos más oscuros. Acariciando con el dedo se funden algunas zonas y se contrastan los tonos marrón oscuro recién pintados sobre la orilla.

No existe una norma única para pintar vegetación aunque, si algo se debe tener en cuenta, es la capacidad del pastel de ser fundido o superpuesto, según interese obtener distintos tonos en los árboles y arbustos.

5. *Sobre el fondo completamente manchado, se pintan zonas muy puntuales; ahora no se funden los trazos, se dejan frescos y las capas posteriores respiran entre los huecos. Con verde oscuro se mancha sobre la orilla; como se puede ver en esta imagen, el trazado es en zigzag, muy ordenado, buscando de manera general las alturas de los matorrales de este término.*

Preste una especial atención a los contrastes que se establecen en el paisaje. En definitiva, son lo que da vida e impacto a todo trabajo pictórico.

6. *Con la yema de los dedos se funde totalmente el trazado oscuro anterior; en esta acción se ensucia la franja sin pintar que se encuentra bajo la orilla. Sobre esta zona más oscura, se pinta con un verde muy luminoso la parte superior de la vegetación que aparece iluminada por el sol.*

7. *Con cierto cuidado de no mezclar los colores, se funde parte del color verde claro de los matorrales de la orilla sobre el fondo oscuro. Con el mismo color claro que sirvió para pintar esta zona más luminosa, se pintan algunos trazos frescos. La izquierda del paisaje se pinta de la misma manera que los arbustos de la orilla, pero esta vez con colores mucho más luminosos. Primero, unas manchas que se funden entre sí; por último, algunos detalles con trazos impactantes. Tras pintar algunos contrastes más en la vegetación del primer término y en las líneas en el agua, se puede dar por concluido este paisaje.*

ESQUEMA-RESUMEN

Antes de pintar los árboles se realiza una **base de tonos fundidos** entre sí.

El esquema inicial es muy sintético; sólo se encajan las formas generales de los árboles y de las orillas.

En el primer término se pinta con blanco; el color de fondo del papel queda integrado en el conjunto.

El fundido en el agua se realiza sin que se lleguen a mezclar los colores.

La única mezcla de colores que se realiza está en la derecha del paisaje, donde se provoca un conjunto de colores sucios.

14 Paisaje urbano y perspectiva

BREVES NOCIONES DE PERSPECTIVA

El paisaje urbano permite una gran variedad de posibilidades, teniendo en cuenta que cualquier población puede ser representada desde numerosos puntos de vista. Para poder explotar al máximo dichas posibilidades es necesario comprender las principales nociones y reglas de la perspectiva; no será difícil de entender si se presta la atención necesaria.

En ciudades y pueblos, es habitual ver artistas que optan por tomar como modelo calles y plazas, incluso de zonas que, a simple vista, pueden no tener un especial atractivo. El paisaje urbano puede encajarse dentro del tema del paisaje natural, aunque las diferencias de tratamiento y las necesidades técnicas que exige son muy diferentes. Uno de los requisitos fundamentales para encajar y componer un paisaje urbano es la aplicación de la perspectiva, un tema al que se van a dedicar estas páginas.

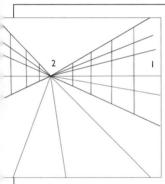

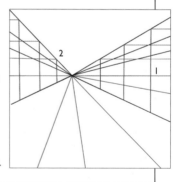

La línea horizontal sitúa la línea del horizonte (1). En esta línea se marca un punto que se llama punto de fuga (2). Todas las líneas paralelas entre sí que se tracen desde el espectador hacia el horizonte coinciden en el punto de fuga.

Si el punto de vista coincide con la línea del horizonte se considera que la observación se realiza desde una altura normal en la calle. Las líneas dibujadas en azul corresponderán a las marcas que se señalan por encima del punto de vista del observador. En el punto donde se corta la línea vertical con la línea de fuga se trazan las líneas que marcan las alturas de los planos frontales. Estas líneas, al igual que la línea del horizonte, son completamente horizontales.

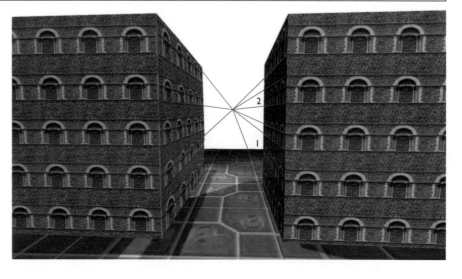

◄

Como se observa en este gráfico el punto de fuga (2) se ha situado por encima de la línea del horizonte (1); esto conlleva a su vez una elevación del punto de vista.

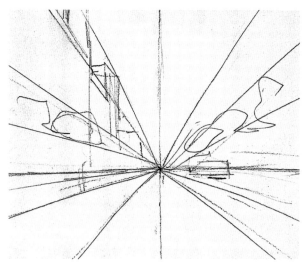

PERSPECTIVA Y PAISAJE

A partir de los gráficos y explicaciones del punto anterior, se propone la elaboración de un ejercicio de perspectiva con pastel. El ejercicio no resulta demasiado complejo, sobre todo si se siguen con atención las imágenes y los textos de cada uno de los pasos que lo componen. Como se observa, se utiliza un solo punto de fuga, por lo que todas las líneas de perspectiva se dirigen a él.

▶ *1. Se traza la línea del horizonte, en el centro de la cual se marca el punto de fuga donde coincidirán todas las líneas de fuga. Se dibujan varias líneas que pasan por este punto. Dos de esas líneas situadas por debajo de la línea del horizonte se toman como límite entre los planos de tierra y los verticales. Con varios trazos verticales se dibujan los edificios que limitan con la línea de perspectiva más elevada. Encajados entre dos líneas de perspectiva, se esbozan los árboles de la avenida que disminuyen de tamaño conforme se alejan.*

▶ *2. Las alturas de las líneas verticales que corresponden a las fachadas de los edificios quedan determinadas por la trayectoria de las líneas de fuga correspondientes Desde el vértice de cada punto de corte entre la vertical de la altura y la línea de perspectiva, se trazan pequeñas líneas horizontales paralelas a la línea del horizonte. Estas líneas acaban de dibujar la forma de los edificios. Según este proceso, se puede realizar cualquier tipo de edificios y calles, observando siempre las alturas y las profundidades correspondientes.*

▶ *3. Una vez que se han planteado las principales líneas y la construcción del paisaje, se comienzan a distribuir las principales zonas de color sobre la superficie del cuadro. Los pasteles permiten un trabajo rápido y fresco, si bien este medio exige que los colores no sean mezclados, sino que el tono necesario se pinte directamente con la barra adecuada. Cada plano recibe un tono diferente; primero con gris se pinta el tono de la calzada. La zona más oscura de los edificios de la derecha se delimita con un tono de color pardo; en el lado izquierdo, los edificios se pintan con color ocre.*

EL COLOR Y LA DISTANCIA

1. *Con un color naranja se pintan las fachadas de los edificios de la izquierda, pero los oscuros de la zona sombreada se pintan casi negros. En uno de los dos lados de la calle se pintan las copas de los árboles con un verde muy luminoso; en el lado más oscuro, el verde empleado es más intenso. Conforme se pintan los tonos en la lejanía, el detalle de los árboles decrece, así como los contrastes de los edificios.*

> Los colores se superponen tanto sobre claros como sobre oscuros, lo que facilita una rápida evolución del cuadro.

2. *Los objetos, cuando se alejan del espectador, a medida que se acercan al horizonte, se ven más pequeños y menos definidos. Las líneas de perspectiva enmarcan la misma altura desde el primer término hasta el punto donde supuestamente se unen las líneas paralelas. De esta manera es posible pintar los árboles de este ejercicio. Conforme los árboles se pintan más lejanos, el detalle de los mismos se hace cada vez más escueto.*

3. *Los detalles de los objetos más distantes se realizan también de manera muy sintética. Observe cómo las líneas de la calzada también disminuyen en tamaño siguiendo la perspectiva hacia el punto de fuga. Por último, se aplican los contrastes más densos que acaban por definir todos los objetos de este paisaje urbano en perspectiva.*

EL PUNTO DE VISTA

El punto de vista permite representar el paisaje desde diferentes alturas. Un punto de vista elevado sitúa el plano de tierra por debajo del espectador, de manera que éste observa el paisaje desde una perspectiva superior. Este ejercicio presenta un paisaje urbano visto desde la cima de una montaña. Debe estudiarse atentamente la dirección de las líneas del esquema así como el efecto que se produce cuando se antepone un plano cercano entre el paisaje y el espectador.

▶ **1.** *El esquema inicial debe plantear de entrada el punto de vista del espectador. Como se puede apreciar en este primer encaje, la línea del horizonte se ha situado muy elevada; de este modo, si el punto de vista del espectador coincide con la posición de la línea del horizonte, la perspectiva es superior, de tal manera que se muestra toda una extensión de terreno desde un punto muy elevado. Uno de los recursos que ayudan en la realización de este tipo de perspectiva es la anteposición de un plano situado a la altura del espectador. En este caso se ha esquematizado a la derecha del cuadro un terreno perteneciente en el plano al punto de observación. Para aprovechar el color del papel se comienza a pintar el cielo con tonalidades muy claras.*

▼ **2.** *Los colores en la distancia tienden a restar contraste y a unificarse sobre todo cuando existe una atmósfera densa. En este paisaje urbano se puede observar la diferencia de cromatismo que existe entre la solución del primer término y los planos del fondo. Para aumentar esta diferencia, en el fondo los colores son blanquecinos y se recortan en la forma de los espigones del puerto. El terreno del primer término se pinta con colores muy contrastados.*

▼ **3.** *Observe cómo se ha solucionado este punto de vista elevado: la distancia se ha logrado gracias a la situación de las líneas de perspectiva, que no marcan ángulos muy abiertos. El color del fondo juega también un papel fundamental, ya que con unas pocas manchas luminosas y unos puntuales contrastes oscuros, se ha podido representar este complejo industrial portuario.*

paso a paso
Paisaje urbano

Cualquier rincón de una ciudad puede servir de modelo para ser pintado; incluso aquellos que son ciertamente sórdidos presentan a menudo un interés artístico. Para lograr resultados satisfactorios en el paisaje urbano, una buena técnica en el dibujo de la perspectiva puede ser la clave. En este tema se han planteado, entre otras cuestiones, sencillos recursos con los que se pueden pintar paisajes urbanos. Para ponerlos en práctica, nada mejor que este callejón de una gran metrópolis. Como se puede ver, las calles muy largas y rectas son ideales para el planteamiento de una perspectiva con un punto de fuga.

2

MATERIAL NECESARIO

Pasteles (1) y papel (2).

Para lograr resultados satisfactorios en el paisaje urbano, es imprescindible disponer de una buena técnica en el dibujo de la perspectiva. Ésta es, sin duda, la clave fundamental para desarrollar un buen cuadro.

1. *En primer lugar se plantean las líneas de perspectiva. Todos los planos de los edificios se encuentran limitados, tanto en su parte superior como inferior, por unas líneas que tienden a unirse en un punto de fuga situado en el horizonte. Para realizar este primer esquema no es necesario desarrollar unas líneas demasiado marcadas; sin embargo, si no se tiene la suficiente destreza con el dibujo, es posible plantear una serie de líneas de perspectiva o de fuga que sirvan de soporte al esquema de planos. Para realizar ese esquema de líneas, basta con fijarse en la dirección de la acera, la base de los edificios y la parte superior de los mismos. Donde se unen las líneas, allí está situado el punto de fuga.*

PASO A PASO: Paisaje urbano

2. Completado el dibujo previo, se pinta la zona que corresponde al cielo; esta zona se mancha primero con un color amarillo muy luminoso que permite un fuerte contraste con el fondo. Sobre el color de base se mancha con blanco y se pasan los dedos para fundir el color blanco sobre el amarillo. El resultado es un color denso, característico de la neblina propia de una ciudad.

3. En este paisaje urbano, interesa que el color del papel intervenga entre los colores utilizados. En algunas zonas se permite que respire el color del papel; de esta manera se establece un interesante ritmo entre tonos y colores. Se manchan los edificios más oscuros con un pastel de color oscuro e inmediatamente se funde dicho tono con los dedos, para representar así la característica de las paredes sucias por la contaminación.

4. Los edificios más distantes se aprecian mucho menos contrastados que los del primer término, por lo que en los mismos se emplea una tonalidad gris azulada muy luminosa. Con gris oscuro se recortan aquellas partes que deben aparecer más luminosas; éstas se corresponden con el color del papel. Los brillos se realzan con trazos luminosos de color gris claro. Los vehículos se comienzan a pintar con tonalidades claras que contrastan con los oscuros. Sobre el gris oscuro de la calzada se pinta con un color más denso y se funde con los dedos.

5. *El aprovechamiento del color del papel permite conseguir una atmósfera de luz muy realista. Sobre los oscuros de los edificios de la izquierda se pintan unas notas de color rosáceo. Con gris muy oscuro se perfila el portalón del almacén de la derecha y se realza con un tono muy luminoso. Los coches se pintan con pequeños trazos oscuros, sin demasiada insistencia; sobre éstos se mancha con toques luminosos para que los brillos adquieran fuerza.*

6. Con amarillo se dan algunos toques sobre los edificios de la derecha para impartir sobre el cuadro algo de la atmósfera del cielo. Con un pastel de color crema muy luminoso se pintan los ventanales del almacén de la derecha. La perspectiva adquiere de nuevo gran importancia; observe cómo la línea de las ventanas sigue la misma dirección que el resto de las líneas de fuga. Con un color casi blanquecino se acaban de insinuar algunas nuevas líneas que enmarcan las ventanas.

Para fundir los colores hay que restregar bien con los dedos; no tema mancharse las manos.

7. En la zona superior de los edificios de la izquierda se funden los tonos con los dedos para restar algo de presencia a los trazos que han sido pintados en último lugar y conseguir de paso una atmósfera cargada y distante. Con estos detalles, se puede dar por concluido este paisaje urbano solucionado con pastel.

ESQUEMA-RESUMEN

Se pinta en primer lugar el cielo de color amarillo; esto proporciona una inmediata integración del color del papel en el tema que se está desarrollando.

Para indicar la perspectiva de los planos se deben dirigir las líneas de éstos hacia un punto en el horizonte; en perspectiva, dos líneas paralelas se tienden a unir en un **punto de fuga.**

El plano más distante se realiza mucho menos contrastado que los edificios del primer término.

Con gris oscuro se emborrona parte de los primeros términos sobre el edificio de la derecha. El color del papel respira en todo momento a través de los tonos emborronados.

15 Recursos del bodegón

DISPOSICIÓN DE LOS ELEMENTOS

A lo largo de este libro se han visto algunas cuestiones que hacen referencia al bodegón; todas ellas son aportaciones indispensables para el desarrollo de cualquier cuadro con pastel. En este tema se van a desarrollar algunos conceptos más, como, por ejemplo, cómo disponer los distintos elementos del bodegón para lograr una composición en el cuadro de manera armoniosa y equilibrada.

El bodegón es uno de los temas más interesantes que se pueden desarrollar con pastel por las posibilidades que permite su composición y la gran libertad que representa su elaboración. Además, permite un profundo estudio de las formas y del color sin llegar al grado de exigencia de la figura o del retrato, cuestión que hace el tema accesible para cualquier aficionado, sea cual sea su nivel. Este tema se va a dedicar a algunos recursos generales referentes a elementos del bodegón con pastel.

▼ En el bodegón es importante situar los elementos de manera adecuada. En esta imagen se puede apreciar cómo los elementos de este bodegón se han situado de manera correcta. Al desplazar uno de los objetos, en este caso la esfera, hacia la izquierda, el grupo desplazado hacia la derecha queda perfectamente equilibrado.

▼ Aquí se presentan los mismos elementos, pero su distribución no resulta agradable a la vista. El error reside en que se encuentra excesivamente concentrado, dentro de un alineamiento demasiado severo.

▶ Cuando se intenta buscar un determinado equilibrio entre las formas, puede suceder que se incurra en el grave error de una composición excesivamente dispersa. En esta ilustración los objetos han perdido su unidad, no existe equilibrio entre ellos, por lo que la composición del conjunto resulta molesta.

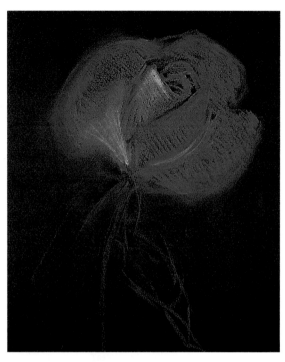

MANCHADO INICIAL Y SUPERPOSICIÓN DE TRAZOS

La pintura de algunos objetos del bodegón se puede realizar de forma directa sobre el papel. La técnica permite una corrección inmediata, tanto si se sacude el trazo con un trapo como si se dibuja encima del trazo cubriéndolo por completo.

Se propone la realización de una flor alternando los dos principales procesos del pastel. En primer lugar, el trabajo se inicia con un rápido trazado que parte de un bosquejo de las formas principales y se asegura sin que importe que un trazo se superponga a otro. El pastel permite alternar un tratamiento de dibujo puro basado en trazos, con otro mucho más pictórico logrado con trazos planos e impactos de color.

▶ 1. *A partir del dibujo de la flor, se mancha todo su interior alternando el trazo de punta con el trazo plano, que permite cubrir la superficie de manera mucho más rápida. Antes de continuar en esta zona se reduce la dureza del trazo con una suave caricia con la yema de los dedos, aunque debe tenerse el suficiente tacto para no fundir completamente toda la superficie del color.*

▶ 2. *Los planos de luz y de sombra con pastel se solucionan muy fácilmente; basta aplicar sobre el tono ya pintado uno más claro, para que de manera inmediata se separen los diferentes planos de luz sobre la forma que se está pintando. Sobre el color rosa de la flor, se dan unos pequeños toques de color muy luminoso para dibujar el filo de los pétalos; en cambio, los tonos más leves permiten separar los planos en el interior de la rosa, al mismo tiempo que se puede modelar la forma de los pétalos.*

◀

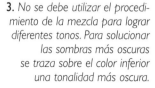

3. *No se debe utilizar el procedimiento de la mezcla para lograr diferentes tonos. Para solucionar las sombras más oscuras se traza sobre el color inferior una tonalidad más oscura.*

VALORACIÓN O COLORISMO

En otros temas se ha tratado el pastel con una clara intención valorativa a partir de sus degradados tonales y sus fundidos. También se pueden realizar diversos efectos sin necesidad de fundir los colores directamente con los dedos. Para solucionar este efecto tan útil en el pastel, se puede utilizar un pincel para restar presencia al trazo. Esta técnica de semifundido de los colores se puede emplear, tanto con el proceso de valoración, como con el colorismo.

1. Una vez que se dibuja el modelo, en este caso un bodegón formado por dos frutas, se comienza a pintar el fondo, un tono verdoso realizado con trazos cruzados; las manzanas quedan recortadas por este color. Pintado el fondo, se comienzan a manchar las manzanas; los colores correspondientes a la sombra se realizan mucho más densos y cálidos que los que pertenecen a los puntos de luz. El color del papel queda completamente acotado por algunas zonas, en las que éste se ve entre los trazos recién pintados.

2. Una vez que se han planteado todos los colores del bodegón, se coge el pincel de abanico y se comienza a fundir suavemente el color; pero no se debe insistir demasiado; el pincel retira el polvillo con bastante facilidad. Al pasar el pincel sobre la superficie pintada, los colores se funden de manera más suave que cuando se utiliza el difumino o el dedo; el trazo no se funde por completo.

> Según el pincel que se utilice, se pueden lograr diferentes efectos de fusión; algunos pinceles especiales permiten un trabajo muy puntual.

3. En este ejercicio lleno de luz y color, no sólo tiene importancia el uso del pincel; los impactos directos también resultan fundamentales. Para lograr este acabado se combinan perfectamente las zonas difuminadas con contrastes que definen las formas de las frutas.

BRILLOS Y REFLEJOS

L os brillos y reflejos en el bodegón se pueden lograr de maneras muy diferentes, pero en todas ellas es importante contemplar la posibilidad que tiene el pastel de ser pintado en forma de fusión o bien con impactos directos de luz. En este ejercicio se explica cómo realizar brillos puntuales en el cristal.

▶ *1. El pastel requiere desde el primer momento un dibujo bien construido, sobre todo cuando la actuación que se realice sobre el papel sea mínima; el dibujo siempre es la base fundamental para situar cualquier elemento de reflejo o de brillo. El dibujo se puede realizar con colores claros u oscuros; esto depende en gran medida de la importancia del realce de la línea sobre el fondo del papel. El trazo debe ser lo más limpio posible, aunque en caso de error se puede corregir borrándolo. El punto de luz más luminoso se pinta con un impacto directo de color blanco justo en el centro del vaso.*

▼ *2. El brillo tenue del centro del vaso se soluciona con un suave fundido del color sobre éste. En el interior del vaso, se pintan los reflejos en el agua. El color verde del papel queda en reserva por el resto de las tonalidades, haciendo que se integre en el conjunto cromático. Preste atención a la solución de los brillos sobre el vaso. Se alterna la fusión del tono con los trazos directos de pastel.*

▼ *3. A partir de los contrastes se solucionan las formas definitivas con pequeños brillos y oscuros en zonas puntuales del cuadro. La parte más ensombrecida del vaso se pinta con negro y a su lado se realiza un suave brillo que contrasta la forma del vaso con el fondo. Por último, las partes más luminosas, como el reflejo sobre el borde del vaso o los brillos de la flor, se pintan con impactos directos de color.*

paso a paso
Bodegón con frutas y plato

El bodegón que se propone aquí requiere una especial atención en su construcción inicial, pues los colores de los objetos que lo componen influyen sobre otros; así mismo se podrá comprobar que es mucho más sencillo realizar cualquier fruta que la precisa curvatura del plato. Si se observa con atención el modelo, se pueden apreciar entre las frutas, sombras suaves que se contagian con los colores contiguos. De todas maneras, no es un trabajo difícil si se estudian atentamente los pasos que se proponen a lo largo del ejercicio.

MATERIAL NECESARIO

Pasteles (1), papel de color (2) y trapo (3).

En el modelo se tienen que cuidar al detalle, tanto la disposición sobre el cuadro, como el color de las frutas realizadas.

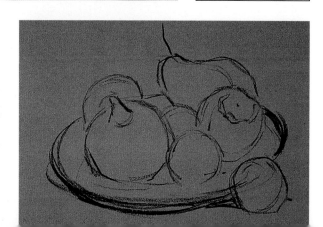

1. *Antes de comenzar a pintar, es importante prestar la atención adecuada al dibujo. El esquema se realiza con un pastel oscuro. La forma del plato es la más compleja, así que es mejor no escatimar el tiempo en su elaboración. La corrección del plato se hace con sucesivos trazos hasta que la forma se haya conseguido por completo.*

2. *Antes de intervenir con el color, se resta presencia al dibujo con un trapo para que el trazo oscuro no esté excesivamente definido. Se realizan los tonos más oscuros de las frutas: naranja oscuro para la granada y carmín violáceo para los tonos de sombra de las ciruelas. La parte de luz de las ciruelas se pinta con rosa violáceo. Se pintan también los colores más luminosos de la pera y de la manzana con un trazado amarillento.*

4. *Se acaba de eliminar el exceso de pastel sobre el mantel, sacudiendo con el trapo. El borde del plato y el fondo se pintan con color crema muy claro, pero tampoco se deja que el color resulte demasiado contrastado. En la granada de la izquierda se pinta con un tono anaranjado muy luminoso. El contraste entre los colores y el fondo está perfectamente compensado.*

3. *La ciruela que hay en la mesa se pinta con un color rosa muy brillante, y la granada se pinta con rosa, naranja y verde. Los colores de esta zona se funden suavemente con el dedo. Sobre el mantel se pinta con un color blanco muy luminoso que destaca sobre el fondo; en principio se pinta con fuerza. Con el pastel de punta se dibuja un trazado radial desde el plato hasta el exterior.*

Las formas muy precisas siempre resultan más complejas de solucionar que aquellas otras, como las frutas, que permiten un cierto margen de error.

5. *Cada uno de los oscuros de las frutas se plantea con un color diferente. Los colores de las granadas se reflejan sobre las frutas que hay alrededor y viceversa; así, sobre los oscuros de las granadas se mancha con tonalidades rosáceas y sobre las ciruelas con matices azules y naranja claro.*

A la hora de proceder a los oscuros y las sombras, es preciso tener presente que no todas tienen -ni deben tener- una misma tonalidad. Cada sombra viene afectada por el color del objeto que se refleja en ella.

6. *Con un color rosa muy luminoso se pinta sobre la granada de la derecha y se acentúa el efecto luminoso. Sobre el plato se pintan unos trazos de blanco muy directos. El color del papel se implica como parte de los colores del bodegón. El trabajo se centra ahora en la solución de los tonos del mantel.*

7. *Se ensalzan tanto los claros como los oscuros del conjunto. La sombra del plato sobre el mantel se funde ligeramente con los dedos antes de pintar un suave tono verdoso. Sobre el plato se pinta con un color gris* *claro y se acaban de perfilar las frutas con sus sombras. Algunas zonas se dejan intactas mientras que otras se acarician suavemente con los dedos para fundir los trazos sin que éstos lleguen a mezclarse.*

ESQUEMA-RESUMEN

El dibujo inicial se realiza a fondo, corrigiendo los posibles errores del plato; las formas muy precisas siempre resultan complejas de solucionar; se dejan para fases más avanzadas del proceso.

Se pintan en primer lugar los oscuros de las frutas y enseguida se contrastan con colores luminosos. El juego de los contrastes simultáneos es muy importante.

Los brillos en el plato son puntuales e integran el color del fondo del papel en el conjunto.

El blanco del mantel se traza con rayas radiales antes de difuminar el tono.

16 Estudio de la figura

APUNTE DE FIGURA CON BARRA PLANA

Para tomar apuntes hacen falta muy pocos medios y si es con pastel todavía menos. Este ejercicio pretende transmitir el verdadero sentido del apunte, teniendo en cuenta que éste no consiste en un trabajo muy elaborado. Bastan unas pocas manchas para captar la esencia de la figura; pero estas manchas deben situarse con precisión, aunque ello signifique una corrección sobre un trazo ya planteado. Preste una especial atención al uso de la barra de pastel y a su lado plano, que es en definitiva lo que proporciona el trazo más maleable.

El apunte es una de las mejores maneras de aprender a representar la figura. El trazo rápido y la impronta del gesto permiten captar el motivo de manera intuitiva, a la vez que sirven para desarrollar formas de figuras de gran complejidad. Cuando el pastel se trata como medio pictórico, más que como procedimiento de dibujo, es posible lograr apuntes de figura de una gran belleza, sin que se pierdan las características propias del trazo.

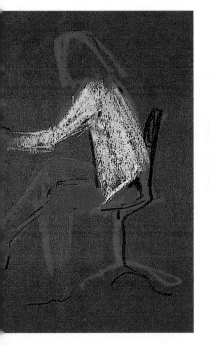  

▼ 1. *Tras un rápido esbozo lineal, la figura se desarrolla a partir del trazo plano, es decir, con la anchura que permite el cabo de pastel. El color que se utiliza en esta primera intervención es claro para que sobre él se puedan superponer en el siguiente paso tonalidades más oscuras.*

▼ 2. *Una vez que está planteada la forma de la figura, se pueden superponer nuevos colores que ayuden a su comprensión. En este ejemplo, con un tono algo más oscuro que el anterior, se trazan las zonas más sombreadas y se dejan los primeros tonos como zonas de reserva. Ello no implica que no se puedan aportar tonos luminosos, aunque esto sería un desarrollo más avanzado del apunte y no lo que ahora interesa.*

▼ 3. *Los contrastes finales son los que acaban de resolver la definición de los volúmenes de la figura.*

Para entender y representar la figura es muy útil consultar libros de anatomía artística.

En el apunte rápido de figura, se deben respetar las proporciones básicas del cuerpo; si bien estas medidas serán idealizadas y podrán variar según la complexión del modelo, las proporciones se deben tener en cuenta para cualquier ejercicio de figura, al menos para tener una buena referencia y conocimiento de ella.

CÁLCULO DE PROPORCIONES

Una cuestión que permite el desarrollo más completo del apunte es el cálculo de proporciones entre las diferentes partes de la anatomía en la figura. Cuando se trata de tomar apuntes, resulta muy importante saber que el tamaño de las partes del cuerpo guarda una estrecha relación entre sí, y que, según se planteen sobre el papel, la figura se podrá apreciar más o menos proporcionada. Una cabeza demasiado grande o pequeña, o la desmesura de cualquier otra parte del cuerpo sería, por decirlo de alguna manera, caricaturizar la figura.

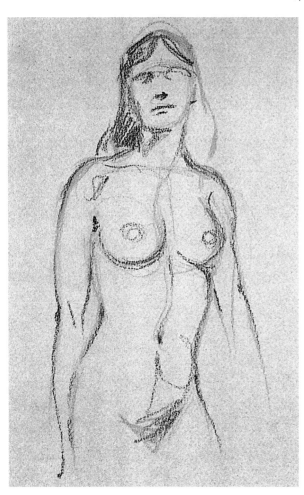

▼ 1. *Observe en esta ilustración la relación existente entre la cabeza y la anchura de los hombros. Esta medida marcará todo el ancho del cuerpo; por ello se trata de un aspecto muy importante. En un cuerpo normal, los hombros suelen marcar la dimensión máxima del tronco, que a su vez disminuye en la cintura.*

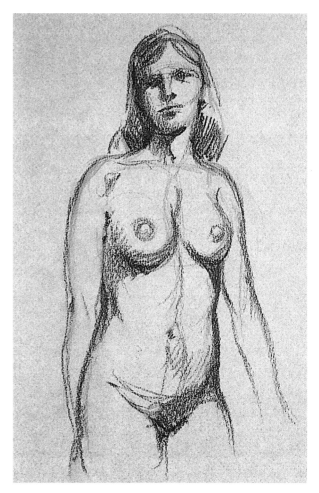

▼ 2. *Aunque la figura que se represente sea de complexión fuerte, lo que realmente importa es su estructura interna. Si se compara esta imagen con la anterior, de la cual parte este ejercicio, se puede apreciar un considerable cambio en la anatomía de las dos; aunque la pose es idéntica, la estructura interna es la que marca las líneas principales. Si bien, esta figura es más corpulenta, las líneas internas corresponden a la misma estructura anterior.*

ENCAJE A PARTIR DE LÍNEAS

La mejor manera de aproximarse al modelo es a partir del encaje. Aunque ésta es una de las técnicas del dibujo, ¿qué procedimiento pictórico prescinde del dibujo en su desarrollo inicial?. La respuesta es contundente: ninguno. Hasta ahora se ha podido estudiar que el encaje facilita el trabajo en bodegones y en elementos del paisaje; pero esto sirve también para el desarrollo del apunte y de la figura en general.

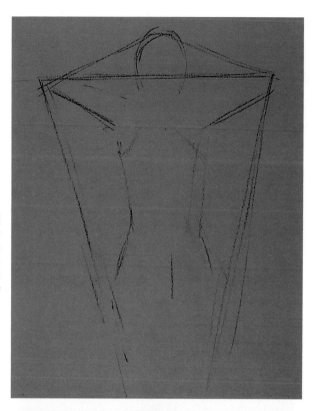

1. Unas "cajas" permitirán esquematizar de manera muy sintética cualquier pose por compleja que pueda resultar. Esta manera de empezar a encajar la figura resulta muy útil para desarrollar un apunte de manera muy progresiva y con una gran seguridad en su elaboración. Estas pocas líneas son muy fáciles de desarrollar y comprender, mucho más que enfrentarse a la figura directamente.

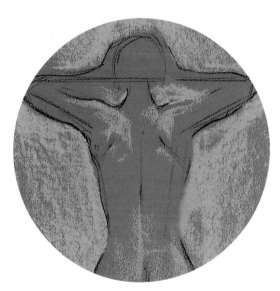

▼ *2. Una vez que se ha planteado la forma de la caja donde se va a desarrollar la figura, no resultará difícil "ir situando" las formas y demás elementos en su lugar preciso. Esta nueva intervención se realiza también con trazos esquemáticos, sin pretender un acabado minucioso; lo que interesa es una comprensión de las formas de lo general a lo particular.*

3. Los trazos que sirvieron para construir la figura se pueden borrar o tapar con el pastel. Se sitúan las luces y los contrastes que permiten el volumen de la figura; el color del papel se integra en el conjunto.

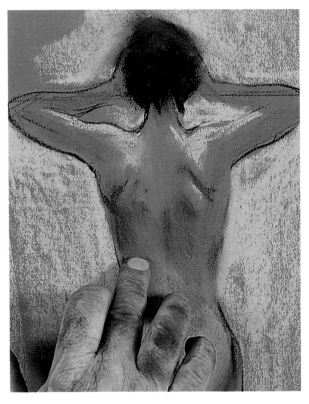

VOLUMEN EN EL APUNTE

La forma de realizar apuntes no tiene por qué escapar de una representación en la que se contemplen ciertas características en el estudio de la luz y, por supuesto, del volumen. A pesar de que el apunte tiene siempre un carácter rápido y casi espontáneo, también es posible, gracias a las características propias del pastel, realizar fundidos y un cierto modelado. Claro que tampoco se tiene que insistir demasiado, para permitir que la frescura del pastel y el tratamiento general del apunte permanezcan intactos.

▶ **4.** *Como se ha visto al principio de este tema, el apunte se puede iniciar a partir de un trazo plano, que permita un dibujo seguro y firme, al tiempo que ayude en la comprensión de las formas de la figura. Si el papel es de color, como es este el caso, el aprovechamiento del fondo permite que dicho color se integre perfectamente en el desarrollo de las formas, y de esta manera se puedan insinuar los volúmenes principales.*

Los oscuros principales se superponen sobre el apunte de manera que las luces quedan perfectamente establecidas en toda la figura.

▶ **5.** *Por último, se aplican los principales puntos de luz, que actúan como zonas de gran luminosidad. Como se puede apreciar, en la búsqueda del volumen en el apunte no es necesario utilizar blanco puro; en su lugar se pueden escoger tonalidades muy claras que sirvan de transición entre los tonos medios y las zonas de mayor luminosidad. Si se utiliza blanco puro, éste tiene que aplicarse en zonas muy puntuales. Gracias a que se ha cubierto la mayor parte del papel, las zonas que se observan se integran en el volumen de la figura.*

paso a paso
Estudio de la figura

La valoración de los objetos se realiza con trazados de gris en las sombras y zonas blancas en la luz. En esta propuesta se ha escogido un modelo femenino para practicar el estudio de figura con realces en blanco. El efecto que se produce con un solo color con toques de pastel blanco resulta muy volumétrico; si a ello se suma la utilización del papel de color, el efecto que se obtiene es de un gran realismo. En este ejercicio se utiliza una gama muy restringida de colores para poner en práctica el modelado en la figura y sin que el color suponga una importante traba en su realización.

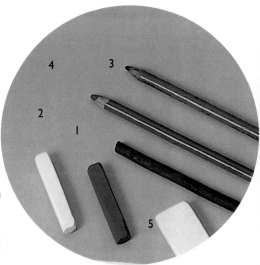

MATERIAL NECESARIO

Pastel sanguina (1), pastel blanco (2), lápices pastel (3), papel de color Habana (4), goma de borrar (5) y barra de pastel negro (6).

1. *Se combinan los trazos planos con los de punta para perfilar las formas y conseguir que el dibujo sea fino. Con líneas delgadas se dibujan los muslos y la forma de las pantorrillas. Se plantean las primeras líneas que definen los rasgos del rostro y la línea del pelo; después se perfila la nariz y la boca. En estas zonas, donde se requiere una cierta precisión, se utiliza la barra de pastel de punta ya que permite un dibujo mucho más puntual.*

2. *Sin frotar en exceso, con la yema de los dedos se desdibujan los trazos más evidentes y se insinúan los volúmenes principales con manchas que todavía dejan entrever el color del papel; de este modo las luces principales quedan perfectamente situadas. Con el filo de la goma se recortan de manera mucho más precisa las partes difuminadas. Se trazan grises en las sombras del pecho, en la parte posterior de la cabeza y en el brazo levantado. La figura se recorta con un difuminado muy amplio en el fondo.*

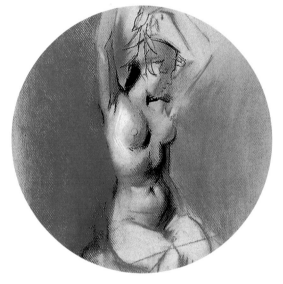

3. *En el fondo difuminado se aumenta el contraste con un suave trazado; la nueva mezcla se vuelve a fundir con los dedos. Se funden los contrastes más evidentes con pastel de color sanguina. Con un suave difuminado oscuro se modela en la zona del abdomen. Se vuelve a manchar el fondo y se difumina. Con blanco se apuntan los primeros brillos en la zona del pecho y en el costado. Con pastel negro se aumenta el contraste del abdomen y se funde con los dedos.*

4. *Con la barra de pastel negro se aumenta el contraste de las sombras más oscuras; de esta manera los puntos de luz aparecen mucho más luminosos. Tras cada mancha de sombra, con los dedos se funde el tono sobre el fondo para así modelar la forma de la figura. Con la goma de borrar se vuelven a abrir nuevos brillos como trazos directos de luz en el costado y en el pubis. Con impactos de blanco se pintan los brillos principales.*

5. *Se marcan los brillos más acentuados de la zona del rostro, en cuya parte oscura se pinta con un tono de color sanguina. Con un lápiz pastel de color negro se perfila la frente, la nariz y la boca. Bajo la cabeza se pinta un blanco muy luminoso, que se funde suavemente sobre el color del papel. En la zona de la izquierda se realiza un nuevo difuminado con sanguina, que abarca la zona ocupada por el brazo levantado. Con el pastel blanco plano entre los dedos, se mancha toda la zona del asiento; también se aumentan los contrastes en el brazo y en el ombligo. Se modela el muslo con el dedo, sin eliminar del todo la forma del dibujo inicial. Con el lápiz de pastel negro se perfilan las formas del cuerpo.*

6. *Se soluciona el rostro con más brillos y un aumento de los tonos oscuros. Los brillos de la mano izquierda se solucionan con toques directos de blanco y se definen los dedos. Con el lápiz de pastel de color sanguina se definen los rasgos del rostro. Con mayor precisión, en el encaje de la figura se observa que existe un pequeño error de proporción en la largura de las piernas; esto no debe suponer ningún problema ya que el pastel se puede corregir en todo momento.*

Si en los trabajos al pastel generalmente se utiliza papel de color es porque dicho color se integra con los tonos con que se desarrolla la pintura y actúa perfectamente incorporado en el conjunto como si se tratara de un elemento cromático más.

7. *Los detalles de la figura se solucionan con toques oscuros y claros suavemente fundidos sobre el fondo. Las zonas luminosas de los tonos medios de las piernas se solucionan con impactos directos de color sanguina. Los contrastes en el acabado se realizan con negro y se modelan las zonas de sombra mediante el fundido sobre el fondo. Con pastel blanco se realizan algunos brillos directos en las rodillas y en el talón. Por último, con la barra de pastel de color sanguina se recorta el fondo en la zona de las manos.*

ESQUEMA-RESUMEN

Este brillo puntual que redondea el vientre refuerza por contraste los tonos medios. Los brillos no sólo indican la dirección del foco de luz; también permiten describir la textura de la piel.

Con la barra de pastel de color sanguina se recorta el fondo en la zona de las manos.

Apertura de brillos con la goma de borrar. Esta herramienta es de una gran utilidad en cualquier ejercicio de pastel; no sólo permite corregir, se emplea también para situar brillos a partir del color del fondo del papel.

Detalle del brillo de la rodilla. Como se puede ver en este detalle, basta una simple mancha para lograr un gran efecto de detalle.

Coloridos de la piel

LÍNEAS PRINCIPALES

En el estudio de los apuntes se pudo estudiar en gran medida la manera en que se debe estructurar la figura. En este apartado se partirá de esta base para desarrollar la forma en los puntos siguientes. Preste una especial atención a la unión entre las líneas, y cómo éstas se desarrollan a partir de formas muy elementales.

La figura es un tema que encierra una gran complejidad, tanto en su aspecto más elemental, como es el encaje y las proporciones de las formas, como en las cuestiones que surgen cuando el proceso se encuentra más avanzado, tales como las carnaciones o la búsqueda del modelado a partir de la luz y la sombra.

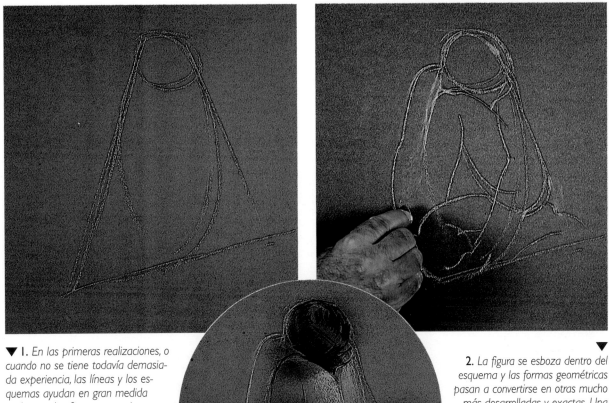

▼ I. *En las primeras realizaciones, o cuando no se tiene todavía demasiada experiencia, las líneas y los esquemas ayudan en gran medida a plantear las formas posteriores.*

3. *Una vez que el dibujo se encuentra perfectamente planteado, se puede recurrir a fijar esta primera etapa del proceso. El fijador ayudará a preservar el dibujo a pesar de los cambios que se puedan realizar por muy insistentes que éstos sean sobre el papel.*

2. *La figura se esboza dentro del esquema y las formas geométricas pasan a convertirse en otras mucho más desarrolladas y exactas. Una vez que las líneas principales se encuentran ajustadas dentro del esquema, éste se hace innecesario y conviene eliminarlo con la goma de borrar. No es necesario borrar completamente todas las líneas, tan sólo aquellas que pueden resultar reiterativas o que conducen a la confusión.*

▶ **1.** *La elaboración de los primeros tonos tiene la función de establecer las diferencias entre las zonas de luz y las de sombra. Por este motivo es importante partir de los colores adecuados. En esta primera fase no hay que aplicar los colores con un contraste excesivo pues, a pesar de que el pastel es completamente opaco, se corre el peligro de que dichos colores puedan crear una base de fusión demasiado sucia. Además, los colores del pastel tienen una gama suficientemente amplia como para permitir que las primeras separaciones de tonos sean sutiles.*

COLORES PARA LA PIEL

Los colores de la piel pueden ser muy variados, ya que dependen exclusivamente de la luz que incide sobre el modelo. Continuando con el ejercicio anterior, se va a aplicar color a la figura. Observe cómo se tratan las luces y las sombras y de qué manera se incrementan los brillos o se matizan a fin de restar presencia a la luz. La paleta de color puede ser tan extensa como el artista quiera, según exija el trabajo que esté realizando.

3. *En los colores carne, como se puede comprobar, intervienen matices fríos y cálidos. Los azules pueden servir para poner en realce una piel tersa y fina. Por último, en este estudio de la carnación, se pintan los brillos y realces más impactantes, al igual que los oscuros. Unas zonas se funden con los colores inferiores, mientras que otras se mantienen como impactos directos de color.*

▲

▶ **2.** *Una vez planteados los primeros tonos de la piel en la figura, se pintan los colores más oscuros de las sombras. En unas zonas interesa que el contraste entre los tonos de luz y de sombra sea suficientemente impactante y directo; en cambio, en otras es preciso realizar una fusión entre los tonos.*

El color de la piel depende en gran medida del haz de luz que ilumina el modelo. Los brillos son producto de dicha iluminación.

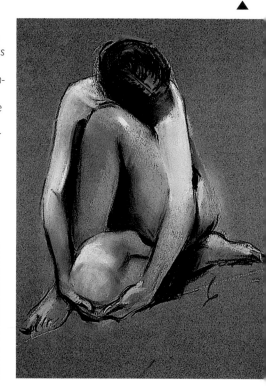

DETALLES Y CONSEJOS

En este tema se estudia, entre otras cuestiones referentes a la figura, cómo los brillos y los realces permiten una sorprendente representación del modelado sobre papel de color. El volumen que se puede obtener con este procedimiento de realces puede lograr cotas de gran realismo. Se propone un nuevo ejercicio en el que se practican las nociones planteadas en estas páginas.

◀

1. Para encajar la forma general y resolver el perfil básico que describe el modelo a dibujar, en este caso una figura femenina de espaldas, se trazan unas líneas muy simples con pastel de color sanguina. Es importante construir con paciencia cualquier parte del cuerpo y tener en cuenta, dentro de cada una, las formas esenciales así como las proporciones entre las líneas internas.

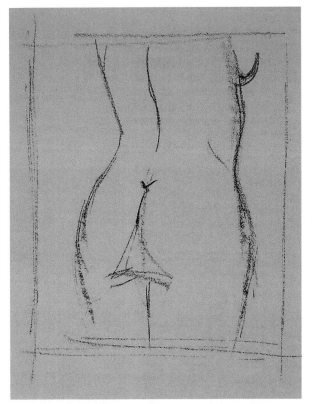

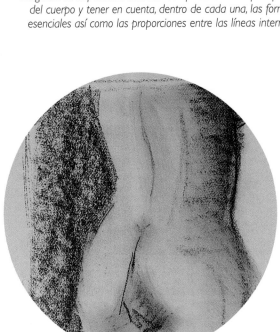

▼ *2. Siguiendo un trazado muy simple y elemental, se rayan las zonas oscuras. Con ello quedan perfectamente establecidas las zonas de luz y de sombra. El cuerpo queda recortado por el oscuro y el fondo del papel se integra por completo en el tono medio del volumen.*

◀

3. Se aumentan los contrastes con pastel negro; después de su difuminado, se abren brillos con la goma de borrar y se aplican los puntos de luz con impactos directos de pastel blanco. Como puede apreciarse en este ejemplo, los brillos sobre la figura no deben representar mayor problema. El color de la piel se ha logrado a partir del color del papel.

Cuando se utilice un fijador de pastel, conviene que éste sea de buena marca. Los fabricantes de calidad se esfuerzan para que sus productos resulten lo más inocuos posible en las técnicas en que son utilizados.

OPCIONES DE TRABAJO

En el presente apartado se propone la realización de una figura a partir de tres maneras de entender el pastel como medio pictórico. Los tres puntos que se desarrollan parten de un inicio muy sintético, a partir del cual se elabora la figura. En el primer paso el planteamiento es monotonal; en él se busca únicamente la construcción de las sombras. En fases posteriores se interpreta el color mediante la superposición de capas.

  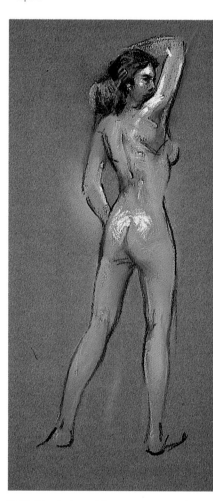

▼ 1. *Con la barra de pastel plana se esboza la figura. Esta forma de trazar sobre el papel permite un dibujo rápido y bien construido. Con la yema de los dedos se funden algunas zonas sobre el papel. Con trazos directos se acaban de plantear las zonas que se quieren poner en realce.*

▼ 2. *La figura anterior va a servir de base para realizar una gran variedad de cambios, o lo que podría convertirse en otra opción. Como el primer trabajo va a servir de base, se puede aplicar una capa de fijador. Con colores luminosos y brillantes se pinta la figura con trazos muy directos que no se funden en ninguna zona. Observe cómo se producen empastes de color que permanecen intactos al pasar un nuevo trazo por encima.*

▼ 3. *El trabajo podría mantenerse en el paso anterior o bien evolucionar hacia otra opción. Unas zonas se funden, mientras que otras permanecen intactas, presentando el enérgico trazado que pone de manifiesto la carnación de la figura vista desde un entendimiento colorista.*

paso a paso
Figura

El estudio de la figura es uno de los temas más apasionantes y al mismo tiempo complejos que se pueden realizar con cualquier procedimiento pictórico. El pastel permite aproximarse al tema de una manera más directa que cualquier otro procedimiento, precisamente por el carácter casi dibujístico que puede desarrollar la barra. Como ejercicio se propone ahora la realización de un estudio de figura, que parte de un apunte del natural. Como se puede ver, en el modelo se han superpuesto unas pautas para que el aficionado tenga una buena referencia de la síntesis de las formas. Las figuras no son complejas de representar si parten de un buen esquema previo.

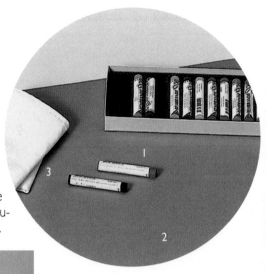

1. *Sobre el esquema donde las formas se hallan únicamente encajadas por trazos muy generales, se comienza a plantear el manchado de la figura. Cada vez que se utiliza un papel de color, éste influye de manera determinante sobre el resto de los colores que se aplican sobre el papel. Así que, con el fin de aislar la forma de la figura, se pinta en torno a ella con un color muy claro.*

2. *El color luminoso que aísla a la figura permite que el propio tono del papel se pueda integrar en el conjunto de las manchas como un color más. Observe con atención el tono medio que recorre el muslo hasta la rodilla; éste corresponde al color del papel y se va a mantener hasta el final del trabajo. Los colores que se aplican en la figura no son al azar. Todavía no se pretende definir ninguna forma; con esta aportación de manchas se sitúan los tonos principales, que abarcan claros y oscuros.*

3. *Preste mucha atención a la correspondencia de cada color con los diferentes planos de luz: cada categoría de iluminación se representa con un color diferente; los brillos máximos están ubicados en el hombro derecho, éstos se representan con rosa anaranjado muy luminoso; las sombras más profundas se pintan de momento con una tonalidad sanguina; en la pierna, en el antebrazo y en la zona superior de los pechos se interviene con naranja, en zonas perfectamente ubicadas. Como de momento no interesa que las zonas estén demasiado definidas, se funden los contornos de los tonos con ayuda de la yema de los dedos.*

4. *Una vez que se han manchado los tonos más importantes y se han fundido sus límites, se contrastan algo más los tonos para definir las formas de la modelo. Las zonas más oscuras, como la sombra que existe bajo el brazo, se pintan directamente con color negro, aunque sin acentuar excesivamente el contraste. Observe la sombra bajo la pierna; las sombras más tenues se plantean con azul, con lo que se crea un gris sucio de dicha tonalidad.*

5. *Otra categoría de sombras es la que hace referencia a los tonos medios de la piel en la pierna; éstos se pintan con sombra tostada, pero sin llegar a cubrir completamente el color del papel. Ahora se soluciona de manera mucho más cómoda toda la zona luminosa de la pierna, donde la parte iluminada se perfila hasta llegar al pie. Es importante situar los primeros puntos de luz, ya definitivos en la zona de la rodilla; éstos serán la referencia luminosa para los máximos brillos de la piel.*

6. *La sombra que existe bajo el brazo parece demasiado contrastada; a este motivo se le resta algo de presencia con la yema del dedo, aunque sin arrastrar completamente el color. Los brillos situados en la rodilla sirven de referencia para situar nuevos puntos luminosos en el hombro derecho de la modelo.*

Dependiendo de la luminosidad del ambiente, los brillos en la carnación no se interpretan con blanco, ya que la piel ofrece su propio filtro a la luz; lo más acertado es emplear colores luminosos como el amarillo de Nápoles.

7. Se pinta con blanco puro en torno a la pierna, por lo que ésta se recorta perfectamente. Algún brillo más, como, por ejemplo, el tono rosado del abdomen o los de la rodilla, dan por concluido el ejercicio. Como se puede apreciar en el proceso del paso a paso, para lograr una buena carnación o estudio del color de la piel, es necesario utilizar una buena gama de colores y hacer intervenir el propio color del papel entre la paleta utilizada. De esta manera se refleja la iluminación del ambiente. Los colores utilizados, aunque variados, tienden a pertenecer a una misma gama cromática, con todos los contrastes que dichas gamas pueden aportar, y sin descartar en absoluto intervenciones de otras armonías, como en este caso del color azul.

ESQUEMA-RESUMEN

El tono luminoso que se pinta en torno a la figura permite integrar el color del papel en el conjunto de tonos utilizados.

Se establecen los tonos según la luminosidad del plano; por ejemplo en la zona oscura del muslo y en la zona también oscura del brazo el tono es el mismo.

Un blanco luminoso recorta la pierna y aumenta el efecto del contraste entre el fondo y la figura.

El color del papel queda integrado en las sombras medias de las piernas.

Cómo pintó
Degas
(París 1834-1917)

Bailarinas basculando

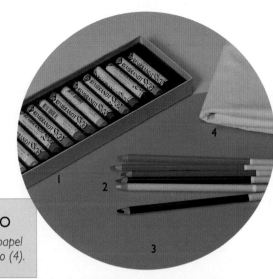

Degas, fue uno de los artistas más grandes del impresionismo, destacando a su vez en el dibujo, en la pintura y en la escultura. Tras su primera etapa creativa con evidentes referencias históricas, entró en contacto con los impresionistas de la mano de Manet. Su gran interés plástico reside en la captación de la luz y del instante temporal. Combina la sutileza de los fundidos con la expresividad del impacto directo. Esta opción le permite desarrollar el tema de las luces artificiales y las texturas propias del mundo del escenario.

Degas tuvo una especial predilección por el tema de las bailarinas y el mundo del espectáculo teatral. La razón es doble: podía estudiar los diferentes efectos de iluminación artificial, y de paso intentar captar el instante, como si su cuadro fuera una fotografía. Es interesante estudiar la obra de Degas, uno de los mejores pastelistas de la historia, para apreciar la manera de entender las luces y las formas a través del color, con un trabajo puro y directo. Las luces plantean fuertes contrastes, aunque no se puede hablar de claroscuro, pues apenas si existe transición en los tonos. Esta característica de su pintura se potencia con la técnica del pastel, que le permite un trabajo directo, donde los tonos claros se pueden superponer a los más oscuros.

1. El dibujo es una cuestión tan importante en este ejercicio, que sin una buena utilización del mismo sería imposible situar cada uno de los diferentes elementos de la composición. Como se puede observar, este primer paso es completamente lineal y aunque está realizado con un trazado que se podría efectuar con un lápiz, se ha dibujado con el pastel de punta, sin plantear otra cuestión que no sea la línea limpia y simple. Degas plantea al mismo tiempo el encaje y el estudio compositivo. Un trazo similar a este permite desarrollar el inicio del cuadro con la inmediatez que requieren las figuras en movimiento.

2. Al igual que el gran artista solía hacer, los primeros colores se manchan como base para otros, y para recortar formas sobre el papel. Una vez que el dibujo está completamente asegurado, tanto en proporciones como en composición -ya que este ejercicio no representa el cuadro entero, sino que se trata de un fragmento- se pueden comenzar a plantear los primeros trazos y colores. En primer lugar se solucionan las zonas que aparentan ser más evidentes, como los oscuros del fondo. También se pintan los tu-tus de las bailarinas que basculan sobre la pierna; este efecto resulta especialmente interesante ya que se inicia con color azul y se sobredibuja con verde. La mezcla óptica ofrece el color esmeralda luminoso de la obra original.

La fusión de los colores tiene que realizarse de manera muy comedida, para evitar que se mezclen innecesariamente. Los tonos más sucios pueden alternarse con otros de gran luminosidad.

 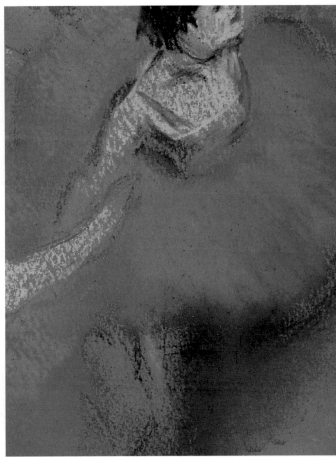

3. *Como gran conocedor de la técnica, a Degas le interesa captar el momento; para ello combina el impacto del color, con la reserva del fondo. El color del papel interviene en todas aquellas zonas en las que no se selle el grano mediante la presión del pastel; de esta manera, si se traza suavemente, es posible apreciar cómo el fondo respira entre las manchas. Con esta técnica se pinta el color de la carne de las figuras; se utiliza un color rosa muy luminoso, y el color del papel actúa como mezcla óptica. En el fondo, se comienzan a plantear los colores de la vestimenta de las bailarinas con trazos sueltos de color naranja que más adelante se fundirán.*

4. *Toda la parte inferior derecha se pinta con un color ligeramente sucio que se logra mezclando directamente sobre el papel blanco, algo de azul y negro. Estos colores se funden con los dedos hasta que se cubre completamente todo el poro y no queda rastro del color del fondo. Como fase previa a los impactos de color, el artista fundía alguno de los colores, como los tu-tus, donde la luz se filtra difuminada. En esta zona se deja que el sucio color gris del primer término penetre en el perfil del tu-tu, con lo cual se desdibuja completamente su forma.*

El color del papel del fondo debe respirar entre los trazos más densos de pastel. El color del fondo permite crear una atmósfera determinada en el conjunto del cuadro.

5. *Degas aporta al impresionismo un magistral estudio de la luz sobre los personajes; a veces, los términos distantes los plantea simplemente con manchas semifundidas. En este detalle se puede apreciar cómo se comienzan a configurar las figuras del término más distante. El color marrón oscuro que se pintó en un principio, recortaba de manera poco exacta la forma de los dos personajes; ahora, al aplicar los colores más claros de las carnaciones, las figuras se definen mucho más. Estas figuras apenas muestran definición; sin embargo, debido al tamaño en el que se está trabajando, resulta mucho más sencillo plantear los colores con los lápices de pastel. El trazo es algo más duro y la punta facilita la realización de detalles así como de trazos mucho más gráficos.*

Los lápices de pastel son herramientas muy delicadas que hay que tratar con esmero. Cuando se gaste la punta, no se debe utilizar sacapuntas; lo mejor es usar un cúter.

6. *Con un par de colores verdes se perfila el fondo sobre las figuras de la izquierda. Las formas que se funden sobre el fondo se plantean muy sintéticas. El color que las rodea es el que las insinúa. Los detalles de momento son inexistentes.*

7. Con un lápiz pastel oscuro, se inicia el perfilado de las figuras del fondo; son precisamente estas pequeñas aportaciones de contrastes las que permiten definir los rasgos con pequeñas manchas que acaban de recortar la forma de las cabezas y perfilan los miembros que destacan luminosos sobre el fondo oscuro. Como se está combinando el trazo del lápiz pastel con el pastel en barra, se puede lograr una textura muy característica, trazando cada zona en un sentido. Con trazos muy sueltos y brillantes, se comienza a pintar toda la ornamentación del tu-tu.

8. Al pintar el fondo en torno a las figuras, el perfil de éstas queda recortado y es el color del papel el que adquiere protagonismo dentro de la gama de los colores escogidos; bastan unas pequeñas aportaciones de claros y algunos negros poco definidos para que las figuras adquieran la presencia requerida. Las zonas de máxima luminosidad se pintan con tonalidades de pastel casi blanco, pero sin utilizar en ningún momento blanco puro.

9. En este último paso del proceso, es cuando Degas pone de manifiesto el carácter más impresionista de su pintura; para ello utiliza colores puros que contrastan entre sí. Estos colores los pinta como fuertes impactos que se superponen. Los trazos que se pintan ahora en el tu-tu son mucho más luminosos y brillantes que los anteriores. Esta vez se emplea pastel en barra ya que permite un empaste mucho más expresivo y directo que el lápiz. El perfilado de las formas acaba de completar la cara de la bailarina principal, así como todas las partes anatómicas del resto. Con pastel azul se manchan algunas zonas, tanto en los vestidos, como en las carnaciones, para reflejar los colores del ambiente. Por último, un trazado inclinado muy luminoso acaba de dibujar el suelo.

ESQUEMA-RESUMEN

El fondo recorta las figuras que por contraste aparecen mucho más luminosas.

Los trazos del tu-tu de la figura principal se realizan con colores muy brillantes y luminosos.

El tono de color carne es muy luminoso; en su trazado se puede ver el color del papel de fondo.

El tu-tu se pinta con dos colores diferentes para conseguir el tono esmeralda. No es necesario mezclarlos en exceso.

En el suelo se pinta un trazado inclinado muy claro que da textura a la superficie.

Cómo pintó

Claude Monet
(París 1840-Giverny 1926)

El puente de Waterloo en Londres

Monet fue uno de los principales pintores impresionistas; está considerado el principal precursor del movimiento, cuyo nombre se debe a su obra *Impresión: Amanecer* (1872). Las teorías impresionistas fueron desarrolladas por Monet a lo largo de toda su carrera: el entendimiento de la luz, los impactos de color, etc. Su obra ha influido en los pintores de su generación y también en los actuales.

El pastel permite entender su aplicación de tantas maneras como formas de trabajo se puedan desarrollar en las artes plásticas. Por un lado, la capacidad pictórica de este medio es tan elevada como la del óleo o cualquier otro procedimiento, pero, como se puede apreciar en este apunte rápido, también permite acercarse con una magistral soltura al carácter directo y espontáneo del dibujo, con la ventaja de que en el pastel además existen recursos técnicos únicos, como la superposición de tonos claros sobre oscuros y la fusión de los colores. Monet hace gala de la técnica de los contrastes simultáneos en este espectacular aunque sencillo ejercicio de luz.

MATERIAL NECESARIO
Papel de color siena (1), pasteles (2) y trapo (3).

1. *La frescura del pastel permite que se pueda utilizar plásticamente como un medio de dibujo, sin que pueda apreciarse una diferencia de los otros procedimientos de dibujo. Éste es un apunte muy rápido, en el que se intenta captar la esencia de este famoso puente, sin entrar en detalles, tan sólo el efecto del puente observado a través de la bruma londinense. A pesar de su aparente simplicidad, el dibujo se tiene que realizar a conciencia, aunque el detalle carece de importancia. El puente se representa con trazos muy sueltos y superpuestos sin definir ninguna forma.*

2. *Monet trabajó esta pintura sin apenas un dibujo previo, tal como se plantea aquí. La zona correspondiente al agua se mancha en primer lugar con un difuminado de blanco, que en ningún momento cubre el color de fondo del papel; para ello no se tiene que apretar la barrita. Lo más aconsejable es trazar con la barra plana a lo ancho y acto seguido fundir el tono con los dedos. En el puente se pinta de la misma forma que se ha hecho sobre el agua. Los colores utilizados son muy luminosos; un color violeta muy claro permite manchar el interior del puente. Sobre la parte derecha se pinta con el mismo violeta, aunque el trazo es directo.*

3. En esta pintura, Monet intenta desarrollar, no los objetos en sí, sino su luminosidad. ¿Cómo lo logra? A partir de los contrastes que producen las luces, sin definir en exceso las formas. En este detalle se puede observar cómo se dibujan los reflejos sobre la superficie del agua. El puente se traza sobre el agua en un rápido zigzag con el pastel de punta, que decrece en presión conforme desciende. Si el trazo es demasiado evidente, se puede pasar el dedo suavemente sobre él, para integrarlo en el fondo del papel.

4. La superposición de recursos es una constante en toda la técnica del pastel. El pastel facilita a Monet un trabajo que puede combinar de manera inmediata; así puede plantear impactos de luz que promueven contrastes simultáneos. Sobre una capa difuminada enseguida se aplica otra que puede ser directa y muy precisa; éste es el caso del trabajo que se está elaborando. Con el mismo color azul que se utilizó para bosquejar el puente, se trazan zonas mucho más directas. El trazo se superpone al tono fundido anterior, que pasa ahora a ser el color de fondo de esta zona.

5. *Los arcos del puente se refuerzan con la presencia de un fuerte contraste realizado con azul y con un aumento de los claros. Como se está trabajando sobre papel de color, para que los colores y tonos resulten más puros y luminosos se pinta hasta casi sellar el grano del papel; de esta manera la zona que se pinta presenta únicamente el color sin que el fondo del papel actúe como trama o filtro. Como hizo Monet, el esbozo inicial se deja apuntado, permitiendo que sean los impactos de luz los que insinúan las formas.*

6. *Con un trazado rápido y gestual se cubre la mayor parte del puente, permitiendo que el color del pastel vibre al entrar en contacto con el color de fondo del papel. En la zona superior se pinta con tonalidades muy luminosas que incluyen el color violeta claro y el marfil, sin llegar a usar el color blanco para no promover contrastes demasiado fuertes. Con la yema de los dedos se funden algunas zonas del cuadro, con lo que se consigue un evidente efecto de neblina.*

7. *En este paso el dibujo es mucho más evidente que en los anteriores. Hasta ahora las manchas y trazos se han planteado como base, con unas zonas muy fundidas y otras algo menos, pero en definitiva no existía un interés por acentuar los contrastes de las formas. Éste es un cuadro con contrastes interpretados por los diferentes planos de luz, aunque en algunas zonas se puede apreciar una cierta voluntad de búsqueda del volumen, por ejemplo, en el arco de la izquierda; en estas zonas se actúa con mayor insistencia para poner en realce la sombra. Los puntos de luz se incrementan notablemente y el contraste con las zonas oscuras aumenta a su vez. La pintura del agua tiene un carácter muy gráfico; se realiza con el pastel de punta.*

8. *Los puntos donde la luminosidad destaca por su presencia no se tienen que poner de manifiesto hasta ahora. Aunque el pastel se puede corregir en cualquier momento de su proceso, en este trabajo rápido, donde los matices se llegan a fundir sobre el fondo, es importante saber mantener el orden en la aplicación de las luces. Los impactos de blanco puro se pintan de manera muy mesurada, aunque el efecto de contraste con los azules e incluso con el fondo del papel, resulta más que evidente. A Monet le interesaba captar la luz más que concretar las formas. Observe cómo son los impactos blancos que aportan la profundidad que requiere la atmósfera.*

9. Las ondas del agua requieren un tratamiento más luminoso para acentuar de paso el juego de contrastes entre azules y claros. Además, si se acentúan estos contrastes, es posible interpretar la luminosidad que se cuela entre los ojos del puente, reservando el color del papel para las zonas más sumidas en la niebla. Por último, se vuelven a pintar con azul aquellas zonas que requieran una mayor presencia, mientras que otras se dejan de manera que parezcan como tragadas por la espesa niebla.

ESQUEMA-RESUMEN

El dibujo muy directo tiene como finalidad mostrar la situación de las diversas partes del puente. Los trazos no son concretos sino que buscan la vibración con respecto al fondo.

El agua refleja parte del puente con trazos en zigzag.

Los trazos directos sobre el puente permiten que el fondo se integre como parte de los colores utilizados.

Los contrastes más evidentes son las sombras del interior de los arcos y las zonas de luz tras los mismos.

Cómo pintó
Odilon Redon
(Burdeos 1840-París 1926)

La caracola

Odilon Redon desempeñó un importantísimo papel en las vanguardias artísticas y su influencia en pintores posteriores es más que evidente. Inició junto a Gustave Moureau la corriente simbolista, que desembocaría más adelante en el surrealismo encabezado entre otros por Salvador Dalí.

Dado el carácter de fusión que permite el pastel, así como los contrastes que facilitan sus impactos de color, seguramente éste era el procedimiento preferido de Odilon Redon. De hecho gran parte de su obra está realizada con pastel. El carácter realista del cuadro, se alterna con notas completamente dibujadas y apenas insinuadas. Por otro lado, es de una especial importancia el énfasis con el que integra el color del papel en el conjunto compositivo.

MATERIAL NECESARIO
Papel de color siena (1), pasteles (2) y trapo (3).

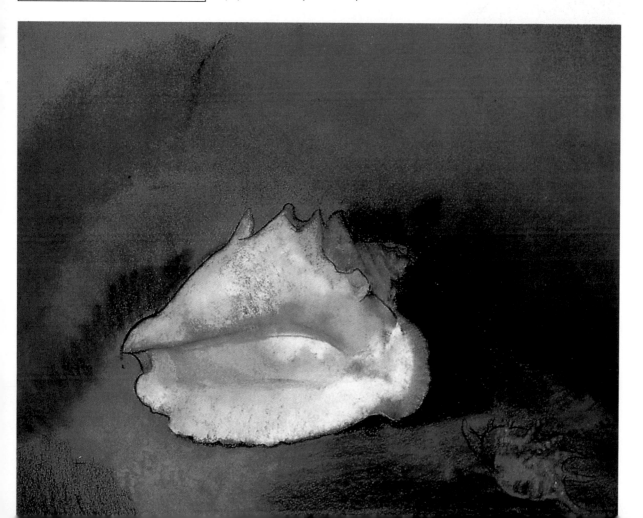

PASO A PASO: La caracola, de Odilon Redon

1. *Una de las principales características de esta obra es que el trazo del dibujo se combina perfectamente con la mancha y el carácter pictórico del pastel; sin embargo, el dibujo no es ni seguido ni evidente en todas las zonas del cuadro, sino que aparece y desaparece, con lo cual este bodegón gana en misterio e interés. El inicio del dibujo se realiza con el pastel de punta; tan sólo se insinúan las líneas y formas principales, aunque más adelante algunas de ellas queden completamente asumidas por la pintura, como es el caso de las líneas del ángulo superior izquierdo.*

2. *¿Cómo comenzar a plantear el color? Por lo que parece, Odilon Redon prefería comenzar por los contrastes más evidentes y crear de este modo una base sobre la cual trabajar posteriormente, tanto con claros como con oscuros. En este detalle se puede apreciar cómo se integra sobre el color del papel un luminoso color rosa, que servirá posteriormente de base para el nacarado del interior de la caracola.*

Hay que tener tanto cuidado con el uso del color claro como con el oscuro, pues, al trabajar sobre papeles de color, ambos destacan con fuerza.

3. En el fondo, alrededor de la caracola, se pinta con tonos verdosos ligeramente agrisados. Al pasar los dedos sobre estas manchas de color, se arrastra parte del color inferior que ha servido para plantear el dibujo inicial; de este modo estas líneas quedan asumidas por el fondo. La caracola se pinta con ocre en las zonas más luminosas, que se comienzan a fundir con los dedos. Como se puede ver, el color del papel pasa a formar parte de los colores utilizados en esta pintura.

4. Es muy importante estudiar con detenimiento los diferentes efectos de fusión entre los tonos, y la superposición de las capas. En este detalle se tiene una buena muestra de cómo una zona empastada se puede integrar en el color del papel mediante su fusión únicamente en una parte de sus contornos, mientras que otra queda perfectamente recortada sobre el fondo. Al artista le agradaba combinar la fusión de algunas zonas con su perfilado; así creaba una atmósfera casi irreal.

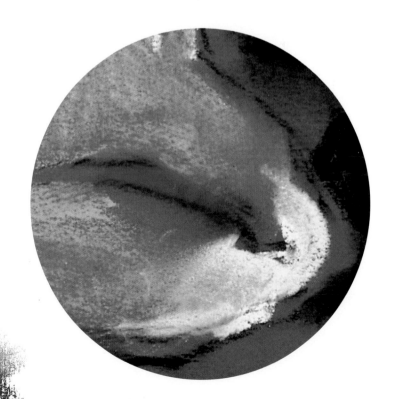

PASO A PASO: La caracola, de Odilon Redon

5. Se pinta un fuerte oscuro en la derecha de la caracola; este tono negro se funde sobre el fondo con la yema de los dedos. Al pintar esta zona de color negro, la caracola adquiere presencia gracias al contraste que se ejerce entre el claro y el oscuro; así mismo, todo el fondo se difumina en el contorno de las manchas. Ahora la verdadera presencia la tiene el elemento principal, sobre el cual los trazos serán evidentes durante todo el proceso de la obra.

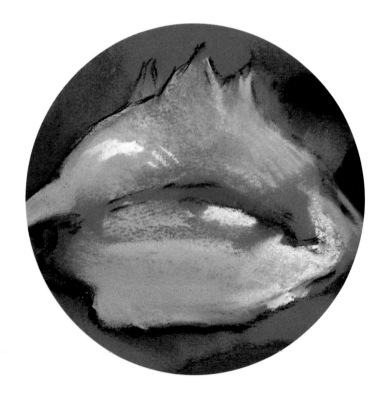

6. En ningún momento se deja que desaparezca el trazo; al contrario, se potencian los contornos para que el contraste entre los dos lenguajes pictóricos resulte más impactante. Tras difuminar los tonos blanquecinos del interior de la caracola, que incluyen el color rosa y el color hueso, se pinta con ocre claro en la izquierda de la concha. Esta intervención se vuelve a fundir sobre el fondo y se pintan unos nuevos toques de color hueso. Toda la parte inferior de la caracola se rehace mediante el dibujo de su contorno después de difuminar sus tonos claros.

7. El pastel resulta muy maleable ya que en ningún momento tiene un secado sobre el papel; por ello basta limpiar un poco con el trapo para abrir un claro sobre el cual volver a dibujar la pequeña concha de la derecha de la composición. Ésta no es demasiado evidente, pero aporta un contrapunto de equilibrio al conjunto del cuadro. Si el color negro se empasta demasiado al pasar el trapo, se puede recurrir a la goma de borrar, aunque si se utiliza, la apertura del claro no tiene que resultar demasiado evidente.

8. El principal trabajo se centra ahora en el fondo que envuelve la caracola. Se pinta con tonalidades azules, con negro e incluso con un color similar al del papel. En este paso se puede apreciar cómo Odilon Redon planteó sutiles fusiones entre la gran variedad de tonos del pastel. Este juego de colores crea un interesante ritmo visual en todo el conjunto. En el interior de la caracola, se difuminan con los dedos algunas zonas que tenían límites demasiado duros.

9. Se plantean los contrastes definitivos en todo el cuadro. Se pinta el fondo de nuevo para evitar algunas mezclas innecesarias: el color negro oscurece las sombras más profundas; con sanguina se pintan las partes más luminosas, dejando que el color del papel se integre aún más en el conjunto; en la zona inferior del fondo, para aumentar el contraste de la caracola, el tono empleado es mucho más anaranjado.

ESQUEMA-RESUMEN

El dibujo se realiza con pastel de color negro; algunas de las zonas que se trazan serán asumidas por el fondo.

El contorno de la caracola se redibuja constantemente, para que no se llegue a perder el trazo.

En el fondo intervienen colores que contrastan fuertemente con las luces de la caracola.

En el interior de la caracola, el difuminado de base muy luminoso sirve de cama a otros tonos mucho más variados y concretos.

Cómo pintó

Joaquim Mir
(Barcelona 1873-1940)

Paisaje

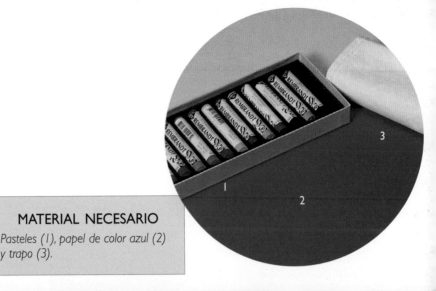

La pintura de Mir se inicia en el naturalismo luminoso propio de los países mediterráneos. Sus temas primigenios recogían testimonios pictóricos basados en zonas marginales o en suburbios, donde los contrastes coloristas eran de por sí un tema con carácter propio. A partir de las influencias que en el artista ejercieron el simbolismo y el modernismo, su obra se volvió mucho más enérgica y fantástica.

En esta obra, Mir incide en su interés por la luz que se filtra entre los árboles. Con el pastel puede aplicar las luces superpuestas a los oscuros, unas veces pintados, otras aprovechados del color del papel. Este paisaje pintado al pastel es un claro ejemplo de cómo el pastel se puede entender como una pintura fresca y espontánea, cargada de notas cromáticas e impactos de luz. En este ejercicio se aprecian diferentes tratamientos de la pintura; algunas zonas se hallan perfectamente dibujadas mediante trazos, otras son manchas informes. La principal complejidad de esta obra reside en que la estructura del cuadro no se basa en planos sino en manchas sin una conexión tan evidente como en otros temas mucho más realistas y figurativos. Es importante ante todo, estudiar los tonos de las luces y cómo respira en todo momento el color del papel.

1. *Siempre hay que intentar encontrar la estructura interna de los objetos que se van a representar. La búsqueda de las líneas principales permite realizar una estructura muy acertada a partir de ellas. Esta primera fase del cuadro se inicia con un pastel de color azul muy luminoso, para lograr un contraste a la vez evidente y que por la tonalidad escogida se pueda integrar en el cuadro sin complicaciones. Seguramente Mir realizó un esquema similar a éste, ya que el resultado final es bastante abstracto y requiere una precisa construcción previa.*

El encaje se puede realizar con tonos similares al papel o bien con colores que puedan integrarse entre los colores utilizados.

2. *Era necesario completar el esquema anterior para poder comenzar a plantear los primeros tonos del cuadro. Manchando los primeros claros, Mir consigue aislar las formas sobre el fondo del papel. Estas primeras manchas de color luminoso ya crean una interactividad del color del fondo con el resto de los colores del cuadro. Más adelante se podrá observar cómo el color del papel se integra cada vez más, hasta resultar imposible identificarlo como tal. Estas primeras manchas se aplican con la barra de pastel plana entre los dedos. En el blanco roto de la casa se pasa la yema de los dedos para restar completa presencia al trazo.*

3. *Al fusionar los colores sobre el fondo, Mir lograba integrar por completo el color de éste con los del resto del cuadro. La gama de colores que se utiliza en esta obra pertenece a la armonía de los colores fríos. La gran mancha inferior se pinta con un mismo color que no contrasta apenas sobre el azul del papel; por el contrario, la zona superior se realiza mucho más difusa y en ella se mezclan voluntariamente el tono de color verde utilizado abajo y amarillo de Nápoles.*

El efecto de fusión de los colores debe alternarse con su manchado directo. De esta manera se pueden recortar formas sobre el fondo, que con este color parezcan pintadas.

4. *En este detalle, se puede observar cómo se pinta el árbol principal del paisaje. Una vez que se ha pintado el tronco de color verde, color que servirá de base para el posterior tratamiento de la textura, con la yema de los dedos se arrastra parte del color negro de las ramas. Ambos tonos se funden, de manera que el negro de la zona superior del árbol se degrada suavemente sobre el verde.*

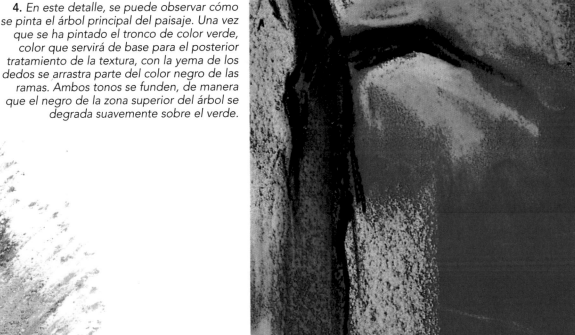

5. Las formas empiezan a ser más evidentes cuando se pintan los primeros contrastes de color negro. Éstos se sitúan en el hueco de la puerta y en la sombra del marco de la entrada de la derecha. Gracias a esta intervención con el color negro, el azul del papel se integra aún más en el conjunto de los colores del cuadro. A la par que el color negro, también se utiliza el pastel blanco que permite impactos muy luminosos sobre el suelo. Con la yema de los dedos se empastan y funden los colores que antes se observaban como trazos planos. Mir planteó la luz con sucesivas aportaciones de colores muy luminosos que se alternan con los trazos oscuros y con el mismo color del papel. Esta parte del proceso que realizó el pintor se puede apreciar en las manchas luminosas del suelo.

6. Los trazos sobre el árbol principal se realizan una vez que se ha acentuado el contraste que lo define sobre el fondo. El perfil oscuro que dibuja la forma del tronco se funde en parte hacia el interior del mismo; sobre la corteza se pinta con azul muy similar al color del papel; y sobre éste de nuevo se vuelve a pintar con verde.

7. *Con blanco marfil se pintan las partes blancas de las paredes, aunque el color no se cierra por completo sino que se deja respirar el fondo en diversos puntos. Estos tonos blanquecinos se funden sobre el fondo para restar presencia a sus límites. Como interesa que el color azul permanezca visible, hay que recurrir a un pastel de color azul; con toques precisos se facilita la integración de las diversas zonas en el color del papel que en este caso se entiende como zona de sombra. Además de estas aportaciones de color azul, también se pintan contrastes fuertes muy directos, creados con impactos de blanco puro sin fundir y pequeños trazos de color negro.*

8. *En el paso anterior se planteó el color de fondo de los paramentos; sobre estos fundidos blanquecinos y verdosos se vuelve a manchar, pero esta vez con trazos mucho más directos. Los tonos de los fundidos anteriores sirven de fondo a esta nueva intervención, los trazos de color blanco son alargados e inclinados, y los aportes verdes se pintan con toques directos con la punta del pastel. Para crear el efecto de la hojarasca, Mir desdibujó el perfil de las hojas. Con el pastel negro de punta se comienzan a perfilar algunas zonas, como ramas o incluso el dibujo de la pared de piedra, a la derecha del árbol.*

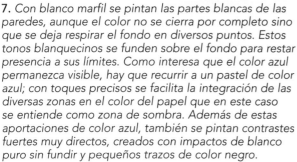

Los contrastes y los puntos de máximo detalle deben dejarse para los últimos pasos ya que son los que acaban de dar forma a los objetos del cuadro sobre zonas previamente manchadas.

9. *Para finalizar este laborioso trabajo con pastel, se pintan algunos toques sueltos de verde en la zona correspondiente a las ramas; con azul se refuerzan algunas sombras, por lo que las zonas que todavía se observan del fondo del papel, se incorporan al conjunto como un color más. En la esquina inferior izquierda se trabajan las hierbas y texturas con aportes muy sueltos que se funden en parte en las primeras aplicaciones; sobre esta base se trazan unas líneas muy directas. Con unos pocos contrastes e impactos de color, ya se puede dar por terminada muestra interpretación de esta obra de Joaquim Mir.*

ESQUEMA-RESUMEN

El dibujo se realiza con un color luminoso de la misma gama cromática que el color del papel. De este modo, al pintar el resto de los colores, la línea quedará asumida por éstos.

El color azul del papel se deja respirar en todo momento, por lo que se integra en el cromatismo del conjunto.

Las primeras manchas de color son luminosas y se funden sobre el fondo para preparar una base a los colores más directos.

Aportes de color azul en zonas de sombra devuelven la correspondencia con el fondo al papel.